Englisch für Fortgeschrittene

Englisch
für Fortgeschrittene

Nach einem Originalkurs der
British Broadcasting Corporation

Bearbeitet von H.-R. Fischer

Humboldt-Taschenbuchverlag

humboldt-taschenbuch 61
20 Strichzeichnungen von Sylvia Kloss

Umschlag: Arthur Wehner, grafik-dienst

Druck: Presse-Druck Augsburg
Printed in Germany
ISBN 3–581–66061–X

7 8 9 * 81 80 79

Vorwort

Ganz gleich, auf welche Weise und mit welchem Buch Sie Ihre Anfangskenntnisse im Englischen erworben haben – dieses Buch bietet Ihnen die Möglichkeit, das Gelernte fortzuführen und zu erweitern. Besonders geeignet ist es als Fortsetzung des Anfängerlehrbuchs „Englisch in 30 Tagen" (humboldt-taschenbuch 11).

Sprachenlernen ohne Arbeit ist nicht möglich. Aber Walter und Connie, bekannt aus den BBC-Kursen im deutschen Fernsehen, erleichtern Ihnen diese Arbeit durch Spannung und Humor. Die beiden stehen auch hier wieder im Mittelpunkt einer zusammenhängenden und an komischen Zwischenfällen reichen Handlung.

Daher begegnen Sie in diesem Buch keinen hochtrabenden literarischen oder schulbuchähnlichen Texten. Ein lebendiger Dialog fesselt Sie von der 1. Lektion an, und Sie lauschen gleichsam diesem Dialog die Eigenheiten des modernen Englisch ab. Um Ihnen die Arbeit noch weiter zu erleichtern, haben wir die deutschen Texte jeweils neben die englischen gesetzt. Vokabellisten mit Übersetzung und Ausspracheangaben und knapp gefaßte sprachliche Erläuterungen zu jeder Lektion dienen der Festigung der erworbenen Kenntnisse. Zum Schluß haben Sie Gelegenheit, Ihre Fortschritte selbst zu testen.

Wir wünschen Ihnen viel Freude und Erfolg bei der Arbeit mit diesem modernen Englischbuch für Fortgeschrittene.

Inhalt

Abkürzungen

a p.	a person	j-s	jemandes
engl.	englisch	männl.	männlich
etw.	etwas	Plur.	Plural
j.	jemand	Sing.	Singular
j-m	jemandem	sth.	something
j-n	jemanden	weibl.	weiblich

Grammatische Fachausdrücke und ihre Bedeutung

Adjektiv = Eigenschaftswort: das *braune* Kleid.

adjektivisch = als Eigenschaftswort gebraucht.

Adverb = Umstandswort: es wird *spät*.

adverbial, adverbiell = als Umstandswort gebraucht.

Akkusativ = 4. Fall, Wenfall: Er pflückt *den Apfel*.

Aktiv = Tatform: Der Mann *schlägt* den Hund.

Artikel = Geschlechtswort: *der, die, das; ein, eine*.

Attribut = Beifügung, Eigenschaft: Der *alte* Mann.

Dativ = 3. Fall, Wemfall: Die Frau kommt aus *dem Garten*.

Demonstrativpronomen = hinweisendes Fürwort: *dieser, jener*.

Diphthong = Zwielaut: *ai, ei, eu*.

direkte Rede = wörtliche Rede: Er sagte: „*Komm her!*"

Futur = Zukunft(sform): Ich *werde fragen*.

Genitiv = 2. Fall, Wesfall: der Freund *des Vaters*.

Gerundium = -ing-Form mit zugleich substantivischen und verbalen Eigenschaften; im Deutschen keine Entsprechung: Thank you for *helping* me. Ich danke dir dafür, daß du mir geholfen hast.

Hilfsverb = Hilfszeitwort, das zur Bildung zusammengesetzter Zeiten dient: ich *habe* gegessen, oder Ausdruck der Aussageweise ist: ich *soll (muß, will, kann)* gehen.

Indikativ = Wirklichkeitsform: Er *geht* nicht fort.

indirekte Rede = nichtwörtliche Rede: Er sagte, *ich solle hinkommen*.

Infinitiv = Grundform, Nennform: *gehen, schreiben*.

Komparativ = 1. Steigerungsstufe: *schöner, größer*.

Konditional = Bedingungsform: *wenn* schönes Wetter *wäre*.

Konjunktion = Bindewort: Tisch *und* Stuhl; Der Mann ist unglücklich, *weil* er nicht arbeiten kann.

Konjunktiv = Möglichkeitsform: Sie dachte, ihr Mann *sei* im Büro.

Konsonant = Mitlaut: *b, k, s*.

Nominativ = 1. Fall, Werfall: *Der Mann* kauft ein Buch.

Objekt = Satzergänzung.

    direktes Objekt = Satzergänzung im 4. Fall: Der Mann kauft *ein Buch*.

    indirektes Objekt = Satzergänzung im 3. Fall: Der Mann kauft *dem Jungen* ein Buch.

Objektsfall = Beugefall, in dem ein Objekt stehen kann: 3., 4. Fall.

Partizip = Mittelwort (zwischen Adjektiv und Verb).

Partizip Perfekt = Mittelwort der Vergangenheit: *gelesen*.

Partizip Präsens = Mittelwort der Gegenwart: *lesend*.

Passiv = Leideform: Der Hund *wird geschlagen*.

Perfekt = Vollendung in der Gegenwart: Ich *bin gegangen*.

Personalpronomen = persönliches Fürwort: *ich, er, sie, ihr*.

Plural = Mehrzahl: *Kirschen*.

Plusquamperfekt = Vollendung in der Vergangenheit: Wir *hatten* es schon *vergessen*, als er noch wartete.

Positiv = Grundstufe (der Steigerung): *schön*, schöner ...

Possessivpronomen = besitzanzeigendes Fürwort: *mein, dein, euer; der, die, das mein(ig)e*.

Prädikat = Satzaussage: Die Frau *kocht* eine Suppe.

prädikativ = als Satzaussage gebraucht.

Prädikatsnomen = Substantiv, Adjektiv u. a. als Teil des Prädikats: er ist *Student*, die Kiste war *leer*.

Präposition = Verhältniswort: *auf, gegen, mit*.

präpositional = mit Verhältniswort gebildet.

Präsens = Gegenwart: *ich gehe*.

Präteritum = Vergangenheit(sform): er *gab* mir das Buch.

Pronomen = Fürwort: *er, sie, es*.

Reflexivpronomen = rückbezügliches Fürwort: er wäscht *sich*.

Relativpronomen = bezügliches Fürwort: Wo ist das Buch, *das* ich gekauft habe?

Singular = Einzahl: *Kirsche*.

Subjekt = Satzgegenstand: *Das Kind* spielt mit der Katze.

Substantiv = Hauptwort: *der Mann, das Haus, die Freude*.

Superlativ = Höchststufe, 2. Steigerungsstufe: *am schönsten*.

Verb = Zeitwort: *gehen, kommen*.

Verbalsubstantiv = substantivisch gebrauchter Infinitiv: *das Lesen, das Schreiben*.

Vokal = Selbstlaut: *a, e, i, o, u*.

Vollverb = Verb, das ohne Hilfsverb als Prädikat verwendet werden kann: ich *gehe*.

Erklärung der Lautschriftzeichen

Vokale und Diphthonge

[ā] reines langes *a*, wie in Vater, Schwan: *far* [fā].

[a] kurzes dunkles *a*, bei dem die Lippen nicht gerundet sind. Vorn und offen gebildet: *butter* [ba′t^e], *come* [kam], *colour* [ka′l^e], *blood* [blad].

[ä] heller, ziemlich offener, nicht zu kurzer Laut. Raum zwischen Zunge und Gaumen noch größer als bei *ä* in Ähre: *fat* [fät], *man* [män].

[ä^e] nicht zu offenes halblanges *ä*; nur vor *r*, das als ein dem *ä* nachhallendes ^{e} erscheint: *bare* [bä^e], *pair* [pä^e], *there* [ðä^e].

[ai] Bestandteile: helles *a* und schwächeres offenes *i*. Die Zunge hebt sich halbwegs zur i-Stellung: *I* [ai], *dry* [drai].

[au] Bestandteile: helles *a* und schwächeres offenes *u*: *house* [hauß], *now* [nau].

[ei] halboffenes *e*, nach *i* auslautend, indem die Zunge sich halbwegs zur i-Stellung hebt: *date* [deit], *play* [plei].

[e] halboffenes kurzes *e*, etwas geschlossener als das *e* in Bett: *bed* [bed], *less* [leß].

[^{e}] flüchtiger Gleitlaut, ähnlich dem deutschen *e* in Gelage: *about* [^{e}bau′t], *connect* [k^{e}ne′kt].

[ī] langes *i*, wie in lieb, Bibel: *scene* [ßīn], *sea* [ßī], *feet* [fīt].

[i] kurzes offenes *i*, wie in bin, mit: *big* [big], *city* [ßi′ti].

[i^e] halboffenes halblanges *i* mit nachhallendem ^{e}: *here* [hi^e], *hear* [hi^e].

[ou] halblanges *o*, in schwaches *u* auslautend: *boat* [bout].

[ō] offener langer, zwischen *a* und *o* schwebender Laut: *fall* [fōl].

[o] offener kurzer, zwischen *a* und *o* schwebender Laut, offener als das *o* in Motte: *not* [not], *wash* [ωosch].

[oi] Bestandteile: offenes *o* und schwächeres offenes *i*. Die Zunge hebt sich halbwegs zur i-Stellung: *boy* [boi].

[ő] offenes langes *ö*, etwa wie gedehnt gesprochenes *ö* in Mörder: *word* [ωőd], *girl* [gől].

[ū] langes *u*, wie in Buch, jedoch ohne Lippenrundung: *shoe* [schū], *you* [jū].

[u^e] halboffenes halblanges *u* mit nachhallendem ^{e}: *poor* [pu^e], *sure* [schu^e].

[u] flüchtiges *u*: *put* [put], *look* [luk].

Konsonanten

[r] Völlig verschieden vom deutschen Zungenspitzen- oder Zäpfchen-R. Wird mit der Zunge, die leicht nach der oberen Zahnwulst zu gehoben ist, gesprochen, wobei der Laut selbst nicht gerollt wird: *rose* [rous], *there is* [ðä^{e}r i′s].

[l] bezeichnet das helle *l* vor Vokalen, mit Hebung der Vorderzunge, wie in lachen: *leg* [leg], und das dunkle *u*-haltige *l* vor Konsonanten und im Auslaut, mit Hebung der Hinterzunge: *table* [tei′bl].

[ng] wie *ng* in lang, aber ohne *g*- oder *k*-Nachklang: *long* [long].

[Ϛ] stimmhaftes *sch*, wie *g* in Genie: *measure* [me′Ϛ^e].

10

[θ] stimmloser Lispellaut; durch Anlegen der Zunge an die oberen Schneidezähne hervorgebracht: *thin* [θin].

[ð] derselbe Laut stimmhaft: *there* [ðäᵉ].

[ß] entspricht dem deutschen *ß* in reißen: *see* [ßī], *hats* [hätß].

[s] stimmhaft, wie in sausen: *rise* [rais].

[ω] mit Lippe an Lippe gesprochenes *w*, aus der Mundstellung für *u* gebildet: *will* [ωil].

[w] wie im Deutschen Vase: *very* [we′ri].

[′] Betonungszeichen hinter dem Vokal der zu betonenden Silbe.

[⁻] Längezeichen. Der unter diesem Zeichen stehende Vokal ist lang auszusprechen.

1st Lesson

Walter und Connie leben in der Provinzstadt Warchester, wo Walter als Reporter für das Lokalblatt tätig ist. Es ist Samstag, und Walter und seine Frau haben gerade zu Hause zu Mittag gegessen. Der erwartete Besuch, von dem Walter spricht, ist der Besitzer der Zeitung "Warchester Times".

Walter: By the way, Connie, do you know that Mr. Henderson is coming after lunch? — *Connie, weißt du übrigens, daß Mr. Henderson nach dem Mittagessen (zu uns) kommt?*

Connie: Why is Mr. Henderson coming here? — *Warum kommt denn Mr. Henderson her?*

W.: He says he wants to see us both together. — *Er sagt, er will uns alle beide sprechen.*

C.: But why does he want to see me? — *Aber warum will er mich sprechen?*

W.: He's got some good reason, I'm sure. — *Er hat bestimmt einen guten Grund dafür.*

C.: He doesn't often come. It must be something special. — *Er kommt nicht oft. Es muß etwas Besonderes sein.*

W.: I can't imagine what it is. — *Ich kann mir nicht vorstellen, was es ist.*

C.: Have you done anything wrong? — *Hast du irgend etwas falsch gemacht?*

W.: I never do anything wrong! — *Ich mache nie etwas falsch!*

C.: Are you sure? After all, Mr. Henderson is your boss – you mustn't try to hide anything from him. — *Bist du sicher? Schließlich ist Mr. Henderson dein Chef – du darfst nicht versuchen, etwas vor ihm zu verheimlichen.*

W.: But I'm not a criminal! — *Ich bin doch kein Verbrecher!*

C.: Sorry, Walter – I'm nervous, too. — *Entschuldige, Walter – ich bin auch (schon ganz) nervös.*

W.: I'm not nervous. Just – puzzled. – I do wish he'd hurry up and come. — *Ich bin nicht nervös. – Ich zerbreche mir nur den Kopf. – (Ach,) Ich wünschte wirklich, er beeilte sich und käme (endlich).*

Es klingelt an der Tür.

Connie! It's him! It's Mr. Henderson! — *Connie! Das ist er! Das ist Mr. Henderson!*

C.:	Oh, Walter – do calm down. Go and let him in – I can make some tea for all of us.	*O, Walter, beruhige dich doch nur. Geh und laß ihn herein – ich kann für uns alle Tee machen.*

Es klingelt wieder an der Tür.

C.:	Go along!	*(Nun) Geh schon!*
W.:	Very well.	*Na schön.*

Er geht.

C.:	I do hope it isn't anything serious – something always happens when Mr. Henderson wants to see Walter.	*Hoffentlich ist es nichts Schlimmes – wenn Mr. Henderson Walter sprechen will, passiert immer etwas.*

Walter und Mr. Henderson kommen herein.

C.:	Hello, Mr. Henderson – isn't Walter silly, he thinks you're here because something's wrong.	*Guten Tag, Mr. Henderson! Ist Walter nicht dumm – er glaubt, Sie sind hier, weil etwas schiefgegangen ist.*
Henderson:	Well – in a way, I suppose that's quite true.	*Na ja – ich glaube, in gewisser Weise stimmt das schon.*
W.:	What?	*Was?*
H.:	What I've got to say is serious.	*Was ich zu sagen habe, ist ernst.*
C.:	Oh dear . . .	*O je . . .*
H.:	Well, Walter, it's very simple really. I can't employ you any longer.	*Also, Walter, es ist eigentlich ganz einfach: Ich kann Sie nicht mehr beschäftigen.*
W.:	What! You mean – I'm losing my job?	*Was! Sie meinen – ich verliere meine Stellung?*
C.:	Oh, Walter! How terrible! What on earth can we do?	*O, Walter! Wie schrecklich! Was in aller Welt können wir tun?*

Words and Phrases

Unter der Überschrift *Words and Phrases* [frei′sis] finden Sie in jeder Lektion Wörter und Redewendungen mit Ausspracheangabe und deutscher Übersetzung.

by the way	*übrigens*	reason [ri′sn]	*Grund*
see a p.	*j-n besuchen / sprechen*	imagine [imä′dƵin]	*sich vorstellen / denken*
some	*irgendein*	after all	*schließlich*

13

boss [boß]	Chef
hide [haid], hid [hid], hidden [hi´dn]	verbergen, verheimlichen
criminal [kri´minl]	Verbrecher
nervous [nŏ´weß]	nervös
I'm puzzled [pa´sld]	ich zerbreche mir den Kopf
wish [ωisch]	(sich) wünschen
hurry [ha´ri] up	sich beeilen
it's him	er ist es
calm [kăm] down	sich beruhigen
all of us	wir alle
go along [ºlo´ng]	geh schon!
very well	nun gut, na schön

serious [ßi´erieß]	ernst; bedenklich, schlimm
hello [he´lou´]	guten Tag
something is wrong	etw. stimmt nicht / ist schiefgegangen
in a way	in gewisser Weise
that is quite true [trū]	das stimmt schon
simple [ßi´mpl]	einfach, leicht
employ [imploi´] a p.	j-n beschäftigen / anstellen
not any longer [lo´ngge]	nicht mehr
what on earth? [ŏθ]	was in aller Welt?

Explanations

Der Abschnitt *Explanations* [ekßplenei´schens] enthält Erläuterungen zu grammatischen Erscheinungen.

Verlaufsform des Präsens statt des Futurs

You know that Mr. Henderson *is coming* after lunch.
Why *is* Mr. Henderson *coming* here?
You mean – *I'm losing* my job?

Die *Verlaufsform des Präsens* wird häufig verwendet, um etwas auszudrücken, das bestimmt in *naher Zukunft* eintreten wird.

"some" und "any"

It must be *something* special. (1)
I can make *some* tea for all of us. (2)
Something always happens when Mr. Henderson wants to see Walter. (3)
Something's wrong. (4)
Have you done *anything* wrong? (5)
I never do *anything* wrong! (6)
You mustn't try to hide *anything* from him. (7)
It isn't *anything* serious. (8)

some und seine Zusammensetzungen stehen *in bejahenden Sätzen* (1–4).
any und seine Zusammensetzungen stehen *in fragenden* (5) und *verneinenden Sätzen* (6–8).

Can I have *some* books? (9)

In *Fragesätzen*, auf die man eine *bejahende Antwort* erwartet, steht jedoch *some* (9).

14

You can take *any* book you like. (10)

Steht *any in bejahenden Sätzen*, so hat es die Bedeutung „*jeder beliebige*" (10).

some	*etwas, irgendein, einige*	any	*etwas, irgendein, irgendwelche*
someone	*(irgend) jemand*	anyone	*(irgend) jemand*
somebody	*(irgend) jemand*	anybody	*(irgend) jemand*
something	*(irgend) etwas*	anything	*(irgend) etwas*

Gebrauch von "to do"

a) *Have* you *done* anything wrong?

   I never *do* anything wrong!

   What on earth can we *do*?

Als *Vollverb* hat "*to do*" die Bedeutung „*(etwas) tun*".

b) *Do* you know that Mr. Henderson is coming?

   Why *does* he want to see me?

   He *doesn't* often come.

Als *Hilfsverb* dient "*to do*" *in fragenden* und *mit "not" verneinten Sätzen* zur *Umschreibung*.

c) I *do* wish he'd hurry up.

   Do calm down.

   I *do* hope it isn't anything serious.

Als *Hilfsverb* dient "*to do*" *in bejahenden Sätzen* zur *Verstärkung*, die im Deutschen durch Wörter wie „wirklich", „doch", „sehr" u. a. ausgedrückt wird.

2ⁿᵈ Lesson

Walter: Mr. Henderson – I'm astounded! You tell me I'm losing my job but you don't give me a reason!

Mr. Henderson, ich bin erstaunt! Sie sagen mir, ich verliere meine Stellung, aber Sie geben keinen Grund an!

Henderson: Well – one good reason is that you have another one.

Nun, ein guter Grund ist, daß Sie eine andere haben.

W.: But I haven't! I work for you!

Aber ich hab' doch keine! Ich arbeite (doch) für Sie!

H.: Quite right.

Ganz recht.

Connie: Then what do you mean, Mr. Henderson?

Also was meinen Sie dann, Mr. Henderson?

H.: I mean that Walter has a new job. So he can't go on working in his old one.

Ich meine, daß Walter eine neue Stellung hat. Daher kann er nicht in seiner alten weiterarbeiten.

W.: A new job?

Eine neue Stellung?

C.: Mr. Henderson, do you mean – still working for you?

Mr. Henderson, meinen Sie – immer noch für Sie arbeiten?

H.: Yes, that's right.

Ja, so ist es.

W.: But, Mr. Henderson, why didn't you say so?

Aber warum haben Sie das nicht (gleich) gesagt, Mr. Henderson?

H.: I wanted to see how you would react on my little plan.

Ich wollte sehen, wie Sie meinen kleinen Plan aufnehmen würden.

C.: Your little plan? What's that?

Ihren kleinen Plan? Was heißt das?

H.: I'm the new owner of a small publishing firm.

Ich bin der neue Besitzer eines kleinen Verlages.

C.: And you want Walter to work in it?

Und Sie wollen, daß Walter dort arbeitet?

H.: I want Walter to run it. I want him to be manager.

Ich will, daß Walter ihn leitet. Ich will, daß er Geschäftsführer ist.

W.: Manager of a publishing firm? But that's wonderful! Of course I want to do it – thank you, Mr. Henderson!

Geschäftsführer eines Verlages? Aber das ist ja herrlich! Natürlich möchte ich das. Danke, Mr. Henderson!

C.: Do tell us more about it.

Erzählen Sie uns doch mehr dar-

Where is the publishing firm?	*über! Wo ist der Verlag?*
H.: In London – right in the centre. – Shaftesbury Avenue.	*In London – mitten im Zentrum – Shaftesbury Avenue.*
W.: Near all the theatres!	*In der Nähe von all den Theatern!*
C.: And the shops!	*Und den Läden!*
H.: You do like London, then? Are you willing to live there?	*Sie mögen also London? Möchten Sie dort wohnen?*
C.: Of course we are – we always love changes, don't we, Walter?	*Natürlich – wir sind immer für Abwechslung, nicht wahr, Walter?*
W.: Certainly!	*Bestimmt!*
H.: Finding a new house won't be easy.	*Es wird nicht leicht sein, ein neues Haus zu finden.*
C.: We shall enjoy it – London is such a wonderful place.	*Es wird uns Spaß machen – London ist so eine wundervolle Stadt.*

W.:	And working in a publishing firm is so exciting! What sort of books do they publish?	*Und in einem Verlag zu arbeiten ist so interessant! Was für Bücher bringen sie heraus?*
H.:	Nearly every kind you can imagine, Walter.	*Fast alle, die man sich nur denken kann, Walter.*
C.:	I like romantic books – big ones. Do they ever publish any novels?	*Ich mag Liebesgeschichten gern – dicke. Bringen sie auch mal Romane heraus?*
H.:	Yes – occasionally.	*Ja – gelegentlich.*
W.:	I prefer technical books – on photography, and on how to play golf.	*Mir sind Fachbücher lieber – über Fotografie und wie man Golf spielt.*
H.:	There are plenty of that sort, too. There is also a printing works.	*Davon gibt es auch eine Menge. Eine Druckerei ist auch da.*
W.:	Printing – it sounds more and more exciting.	*Drucken – das hört sich ja immer aufregender an!*
H.:	It isn't going to be easy, at first. But I can help you, if you need help.	*Es wird zuerst nicht leicht sein. Aber ich kann Ihnen helfen, falls Sie Hilfe brauchen.*
W.:	I can't thank you enough, Mr. Henderson.	*Ich kann Ihnen gar nicht genug danken, Mr. Henderson.*
C.:	Neither can I.	*Ich auch nicht.*
H.:	Say no more. I must be going now.	*Schon gut. Ich muß jetzt gehen.*
W.:	Let me see you to the door.	*Ich begleite Sie zur Tür.*

Words and Phrases

astound [eßtau′nd]	*erstaunen, überraschen*	run [ran], ran [rän], run [ran]	*leiten*
go on doing sth.	*etw. weiter tun; fortfahren, etw. zu tun*	manager [mä′nidGe]	*Leiter, Geschäftsführer*
react [riä′kt] to	*reagieren auf, aufnehmen*	right [rait]	*genau, gerade*
		centre [ße′nte]	*Mitte(lpunkt),* ⎫
plan [plän]	*Plan*	avenue [ä′winjū]	*Allee [Zentrum]* ⎭
owner [ou′ne]	*Eigentümer, Besitzer*	Shaftesbury [schäftßberi]	*engl. Philosoph*
small [ßmōl]	*klein*	theatre [θi′ete]	*Theater*
publish [pa′blisch]	*veröffentlichen, herausbringen*	be willing to	*gewillt / bereit sein zu*
		live [liw]	*leben, wohnen*
firm [fŏm]	*Firma, Unternehmen*	change [tscheindG]	*Wechsel, Veränderung, Abwechslung*
publishing firm	*Verlag(shaus)*		

certain [ßɔ'tn]	sicher, gewiß, bestimmt	photography [feto'grefi]	Fotografie
finding a house	ein Haus (zu) finden	golf [golf]	Golf(spiel)
easy [ĭ'si]	leicht, mühelos	how to play golf	wie man Golf spielt
enjoy [indǫoi'] sth.	etw. genießen; Freude / Spaß haben an etw.	plenty [ple'nti] of	eine Menge, (sehr) viele
London [la'nden]	London	sort [ßɔt]	Art, Sorte
exciting [ikßai'ting]	aufregend, interessant	print [print]	drucken
what sort of	was für (ein)	a printing works printing	eine Druckerei (das) Drucken
every [e'wri]	jeder, -e,-es	sound [ßaund]	klingen, sich anhören
kind [kaind]	Art, Sorte		
every kind of	alle möglichen	more and more [mōr en mō]	immer (mehr)
romantic [remä'ntik]	romantisch, Liebes...	it is going to be	es wird sein
big [big]	groß, umfangreich, dick	at first	zuerst, anfänglich
novel [no'wel]	Roman	if [if]	wenn, falls
occasionally [ekei'ǫneli]	gelegentlich, ab und zu	neither [nai'ðe] can I	ich kann es auch nicht
prefer [prifð']	bevorzugen, lieber mögen	say no more	schon gut, nichts zu danken
technical [te'knĭkel]	technisch, fachlich, Fach...	I must be going now	ich muß jetzt gleich gehen
on	über (ein Thema)	see a p. to	j-n begleiten zu / nach

Explanations

Das Stützwort "one"

a) I'm losing my job. – You have another *one*.
   He can't work in his old *one*.
   Finding a new house is not easy. – We won't find *one*.
   I like romantic books – big *ones*.

Das Stützwort "*one*" tritt *für ein Substantiv* ein, dessen Wiederholung man vermeiden möchte. Es kann *auch* im *Plural* – ones – gebraucht werden.

b) Mrs. Brown has three sisters, Mr. Brown only *two*.
   It is not my brother's car, it is my *own*.
   I have read many books; *the most interesting* is this here.

Das Stützwort "*one(s)*" *fällt fort nach: Zahlwörtern*, "*own*", "*the*" + *Superlativ*.

3rd Lesson

Walter und Connie sind nach London gefahren, um auf Wohnungssuche zu gehen. Sie haben von einem Makler eine Liste mit Adressen bekommen und sich bereits viele Häuser angesehen, die zu verkaufen sind, haben aber noch kein passendes gefunden. Jetzt sitzen sie mit Mr. Henderson in einem Londoner Restaurant, wo sie zu Mittag essen wollen.

Walter: So you see, Mr. Henderson – we're still looking for a house. 11 Wallasey Close isn't for sale any longer.

Sie sehen also, Mr. Henderson, wir suchen immer noch nach einem Haus. Wallasey Close 11 ist nicht mehr zu verkaufen.

Connie: I really feel sad. It's such a nice house – in fact, I can't imagine living anywhere else.

Ich bin wirklich traurig darüber. Es ist so ein schönes Haus – ich kann mir wirklich nicht vorstellen, irgendwo anders zu wohnen.

Henderson: Well, please don't look so sad. Let us order a first-class lunch to make you feel better.

Nun, schauen Sie bitte nicht so traurig drein. Wir wollen ein ausgezeichnetes Mittagessen bestellen, dann werden Sie sich besser fühlen.

C.: I don't really feel hungry – just tired. And sad.

Ich bin eigentlich nicht hungrig, nur müde. Und traurig.

W.: We must eat – and we must start looking again after

Wir müssen etwas essen – und nach dem Essen müssen wir uns

lunch. We still have two addresses on our list.	*weiter umschauen. Wir haben noch zwei Adressen auf unserer Liste.*
C.: I don't like them.	*Die mag ich nicht.*
W.: But you haven't seen them yet.	*Aber du hast sie ja noch gar nicht gesehen.*
C.: I don't care – I know the house I want.	*Das ist mir ganz gleich – ich weiß, welches Haus ich haben will.*
H.: But, Connie – if you say it's sold, what can we do?	*Aber Connie – was können wir denn tun, wenn Sie sagen, es ist verkauft?*
C.: I don't know.	*Ich weiß nicht.*
W.: You'll just have to forget it, Connie.	*Du mußt es einfach vergessen, Connie.*
C.: I can't.	*Das kann ich nicht.*
W.: I know it's a nice house – but we've been unlucky, that's all.	*Ich weiß, es ist ein schönes Haus – aber wir haben eben Pech gehabt, das ist alles.*
C.: I refuse to give up.	*Ich weigere mich aufzugeben.*
W.: Oh, Connie – you can be stubborn. Come along – let's have lunch.	*O, Connie, du kannst so eigensinnig sein. Nun komm schon – wir wollen essen.*
C.: I'm getting very angry, Walter – you give up too easily. And you, Mr. Henderson, you're smiling. It isn't funny.	*Walter, du machst mich noch ganz böse – du gibst zu leicht auf. Und Sie, Mr. Henderson, Sie lächeln. Es ist gar nicht komisch.*
H.: I always smile when I can help somebody.	*Ich lächle immer, wenn ich jemandem helfen kann.*
W.: I don't understand how you can help, Mr. Henderson.	*Ich verstehe nicht, wie Sie helfen können, Mr. Henderson.*
H.: Connie, before you look at the menu, look at the papers.	*Connie, werfen Sie einen Blick auf diese Papiere, ehe Sie sich die Speisekarte ansehen.*
C.: What are they? Oh!	*Was ist das? O!*
W.: What is it, Connie? It looks very important.	*Was ist es, Connie? Das sieht sehr wichtig aus.*
C.: Oh, Walter, it is! It's the papers of ownership to a house!	*O, Walter, das ist es auch. Es sind die Besitzurkunden für ein Haus.*
W.: Deeds to a house? What house?	*Eigentumsurkunden für ein Haus? Was für ein Haus?*

C.: Our house! 11 Wallasey Close!
Unser Haus! Wallasey Close 11!

W.: What! How wonderful! Mr. Henderson, how did you do it?
Was! Wie herrlich! Wie haben Sie das nur gemacht, Mr. Henderson?

H.: I know London pretty well, and I know Connie likes that kind of house – you're not angry with me for buying it?
Ich kenne London ziemlich gut, und ich weiß, daß Connie solche Häuser mag – Sie sind doch nicht böse mit mir, weil ich es gekauft habe?

C.: Of course not! – But why?
Natürlich nicht! – Aber warum?

H.: Just to make sure that you got it.
Um ganz sicher zu gehen, daß Sie es auch bekommen.

C.: You're a wonderful man – you always help us so much!
Sie sind ein wunderbarer Mensch – Sie helfen uns immer so viel!

H.: I just want to make sure that everything is all right before Walter starts work with the publishing firm. A happy man is a good worker, Connie.
Ich will nur, daß alles in Ordnung ist, bevor Walter mit seiner Arbeit im Verlag anfängt. Ein glücklicher Mensch arbeitet gut, Connie.

W.: I'll make sure you don't regret those words, Mr. Henderson!
Ich werde dafür sorgen, daß Sie die Worte nicht bedauern, Mr. Henderson.

C.: Oh, I'm so happy! Where's that menu?
O, ich bin so glücklich! Wo ist die Speisekarte?

W.: Another miracle, Mr. Henderson – Connie has got her appetite back!
Noch ein Wunder, Mr. Henderson – Connie hat wieder Appetit!

Words and Phrases

close [klouß]	*kurze, umbaute Sackgasse*	tired [tai'ᵉd]	*müde*
11 Wallasey [ωo'- lᵉßi] Close	*Wallaseygasse 11*	eat [īt], ate [et], eaten [ī'tn]	*essen*
for sale [ßeil]	*zum Verkauf, zu verkaufen*	start [ßtät]	*anfangen (mit); sich aufmachen*
sad [ßäd]	*traurig, betrübt*	care [käᵉ]	*sich etw. aus einer Sache ma-*
in fact [fäkt]	*tatsächlich, wirklich*	have [häw] to be (un)lucky [(an)la'ki]	*müssen [chen] (Pech, kein) Glück haben*
anywhere [e'ni- ωäᵉ]	*irgendwo*	refuse [rifjū's]	*sich weigern*
else [elß]	*sonst*	give up	*aufgeben*
first-class [fő'ßtklä'ß]	*erstklassig, ausgezeichnet*	stubborn [ßta'bᵉn]	*eigensinnig, halsstarrig*

come along [ᵉloˈng]	(nun) komm schon!	deed [dīd]	(Übertragungs-) Urkunde
get angry [äˈnggri]	ärgerlich, zornig werden	make sure [schuᵉ] (that)	sich davon überzeugen, daß; dafür sorgen, daß
smile [ßmail]	lächeln		
menu [meˈnjū]	Speisenfolge, -karte	worker [woðˈkᵉ]	Arbeiter, Arbeitskraft
important [impōˈtᵉnt]	wichtig, bedeutend	regret [rigreˈt]	bedauern
ownership [ouˈnᵉschip]	Eigentums-, Besitzrecht	miracle [miˈrᵉkl]	Wunder
		appetite [äˈpitait]	Appetit

Explanations

"look" und "see"

Before you *look* at the menu, *have a look* at the papers.
We must start *looking* again. It *looks* very important.
Don't *look* so sad. We*'re* still *looking* for a house.

You haven't *seen* them yet. So you *see*, Mr. Henderson, . . .
He wants to *see* us. Let me *see* you to the door.

Oft bieten Wörter ähnlicher, aber nicht gleicher Bedeutung besondere Schwierigkeiten, da sie im Gebrauch leicht verwechselt werden. Dazu gehören auch:

to look (sich um)schauen, blicken, (hin)sehen; aussehen
to see sehen; erkennen; (ein)sehen, verstehen; besuchen, aufsuchen; begleiten

sowie eine Reihe von Wendungen mit diesen Wörtern:

look after a. p.	*j-m nachblicken; aufpassen auf, sich kümmern um*
look at	*schauen / blicken auf / nach*
have a look at	*(sich etw.) ansehen, betrachten*
look for	*suchen (nach)*
look over	*durchsehen, (über)prüfen*
look through	*duˈrchsehen; durchschauˈen*
look to	*achten auf*
look about / around	*sich umschauen*
look forward to	*sich freuen auf*
look on (at)	*zuschauen (bei)*
look up	*nachschlagen (in einem Buch)*
see about	*sehen nach, sich kümmern um*
see after	*sich kümmern um*
see into	*einer Sache auf den Grund gehen*
see over	*sich ansehen*
see through	*durchschauˈen*
see off	*fortbegleiten, wegbringen*

4th Lesson

Walter und Connie sehen sich den Verlag an, dessen neuer Geschäftsführer Walter geworden ist.

Connie: Here we are, Walter, this is the office.

Da sind wir, Walter. Dies ist das Büro.

Walter: The nameplate looks very dignified – The Alpha Publishing Company.

Das Namensschild sieht sehr würdig aus – Alpha-Verlagsgesellschaft.

Sie gehen hinein.

Sally: Good morning – can I help you?

Guten Morgen. Kann ich Ihnen behilflich sein?

W.: My name is Walter Jones. I'm the new manager.

Ich heiße Walter Jones. Ich bin der neue Geschäftsführer.

S.: Oh, how do you do? I'm Sally Moorfield, the secretary here. I'm very pleased to meet you.

O, guten Tag! Ich bin Sally Moorfield, die Sekretärin. Es freut mich sehr, Sie kennenzulernen.

W.: This is Connie, my wife – she is helping me.

Dies ist Connie, meine Frau – sie hilft mir.

C.: When Walter settles in properly. Not yet.

Wenn Walter sich richtig eingewöhnt hat. Jetzt noch nicht.

S.: I'll just go and tell Mr. Catchpole you're here.

Ich geh' mal schnell und sage Mr. Catchpole, daß Sie hier sind.

W.: What exactly does Mr. Catchpole do?

Was tut Mr. Catchpole eigentlich genau?

S.: He's in charge of the technical side, really. He knows all there is to know about publishing. But he's rather elderly.

Er leitet eigentlich die technische Seite. Er weiß alles, was man über das Verlagswesen wissen muß. Aber er ist schon etwas älter.

C.: It sounds as if he is a nice old man.

Das hört sich an, als sei er ein netter alter Herr.

S.: Oh, he is – but he can lose his temper occasionally.

O, das ist er – aber gelegentlich kann er in Wut geraten.

W.: Perhaps you had better tell him we are here, Miss Moorfield.

Vielleicht sagen Sie ihm lieber, daß wir hier sind, Miss Moorfield.

S.: Yes, I'm just going to, Mr.

Ja, das will ich gleich tun, Mr.

24

Jones. Oh, here he comes. Mr. Catchpole, this is Mr. Jones.	*Jones. O, da kommt er. Mr. Catchpole, dies ist Mr. Jones.*
Catchpole: Mr. Jones?	*Mr. Jones?*
S.: Mr. Walter Jones – the new manager.	*Mr. Walter Jones – der neue Geschäftsführer.*
Ca.: Oh. Very pleased to meet you.	*O, sehr erfreut, Sie kennenzulernen.*
W.: This is my wife, Connie.	*Dies ist meine Frau, Connie.*
Ca.: We're honoured, dear lady.	*Sehr geehrt, gnädige Frau.*
W.: We want to look around, and get some idea of how things are done, if you don't mind.	*Wir möchten uns ein bißchen umsehen und eine Vorstellung davon bekommen, wie das hier vor sich geht, wenn Sie nichts dagegen haben.*
Ca.: How things are done? Have you no experience of this kind of business, Mr. Jones?	*Wie das hier vor sich geht? Haben Sie denn keine Erfahrung in diesem Geschäft, Mr. Jones?*
W.: Er – no. But that doesn't matter.	*Äh – nein. Aber das macht nichts.*
Ca.: Doesn't matter, Mr. Jones?	*Das macht nichts, Mr. Jones?*
C.: Walter means that experience isn't necessary – he is willing to learn.	*Walter meint, daß Erfahrung nicht notwendig ist – er ist ja bereit zu lernen.*
Ca.: I hope so. When you are publishing books, Mr. Jones, you'll find it can't be done overnight – it takes some people years to learn the trade.	*Hoffentlich. Wenn Sie Bücher verlegen wollen, Mr. Jones, werden Sie merken, daß man das nicht im Handumdrehen machen kann – manche brauchen Jahre, um das (Gewerbe) zu erlernen.*
C.: Er – perhaps you can show Walter his office, Mr. Catchpole?	*Äh – Vielleicht können Sie Walter sein Büro zeigen, Mr. Catchpole?*
Ca.: If you wish. Come this way.	*Wenn Sie es wünschen. Hier entlang.*

Er führt Walter und Connie in Walters zukünftiges Büro.

W.: Oh!	*O!*
C.: It's rather ... old-fashioned, isn't it?	*Es ist ziemlich ... altmodisch, nicht wahr?*
Ca.: We are a traditional firm. We are highly respected!	*Wir sind eine Firma mit Tradition. Wir sind hoch angesehen!*
W.: But it's so dark.	*Aber es ist so dunkel.*

Ca.: A mellow, intellectual atmosphere.

Eine gereifte intellektuelle Atmosphäre.

C.: Walter isn't really an intellectual.

Walter ist eigentlich kein Intellektueller.

Ca.: Then he may find life rather difficult – many of our authors are quite brilliant scholars.

Dann wird er das Leben hier nicht leicht finden – viele unserer Autoren sind ganz glänzende Gelehrte.

W.: Scholars who write fiction?

Gelehrte, die Romane schreiben?

Ca.: Our authors seldom write fiction.

Unsere Autoren schreiben selten Romane.

C.: Are they young . . . or old?	*Sind es junge . . . oder alte?*
Ca.: Of mature years, Mrs. Jones.	*In reiferen Jahren, Mrs. Jones.*
W.: Young men – and women – should be given their chance! I want to see lots of young authors!	*Jungen Männern – und Frauen – sollte eine Chance gegeben werden! Ich möchte viele junge Autoren hier sehen!*
Ca.: They do not exist. We do not seek them.	*Es gibt sie nicht. Wir suchen (auch) nicht danach.*
W.: But why not? I want to make a name for this firm. Who handles the publicity?	*Warum denn nicht? Ich möchte der Firma einen guten Namen machen. Wer leitet die Werbung?*
Ca.: We do not need to publicise our activities.	*Wir haben es nicht nötig, Reklame für unsere Tätigkeit zu machen.*
W.: In future, we must.	*In Zukunft müssen wir es aber.*
Ca.: But we never advertise!	*Aber wir machen niemals Reklame!*
W.: Well, we must start now. Everything changes.	*Nun, dann müssen wir jetzt damit anfangen. Alles verändert sich.*
Ca.: You do not convince me, Mr. Jones. Let me say here and now that I am against unnecessary change! If you change the firm, I cannot change with it. And in that case . . . I am willing to resign my position!	*Sie überzeugen mich nicht, Mr. Jones. Und ich möchte Ihnen hier und jetzt sagen, daß ich gegen unnötige Veränderungen bin! Wenn Sie die Firma verändern wollen, kann ich dabei nicht mitmachen. Und in dem Fall . . . bin ich bereit, auf meinen Posten zu verzichten.*

Words and Phrases

nameplate [nei´mpleit]	*Namensschild*	proper [pro´pᵉ]	*richtig, angemessen*
dignified [di´gnifaid]	*würdevoll, würdig*	Catchpole [kä´tschpoul]	*Familienname*
Alpha Publishing Company [ka´mpᵉni]	*Alpha-Verlagsgesellschaft*	be in charge [tschädG] of	*vorstehen, verantwortlich sein für*
Sally [ßä´li]	*weibl. Vorname*	elderly [e´ldᵉli]	*ältlich*
Moorfield [mu´ᵉfīld]	*Familienname*	temper [te´mpᵉ]	*Temperament; Stimmung*
settle [ße´tl] in	*sich einrichten/ eingewöhnen*	lose one's temper	*in Wut geraten, die Geduld verlieren*

27

perhaps [pᵉhä'pß]	vielleicht	atmosphere [ä'tmᵉßfiᵉ]	Atmosphäre
you had better (tell him)	Sie täten besser daran (, ihm zu sagen), (sagen sie ihm) lieber	author [ō'θᵉ]	Autor, Verfasser
be going to	im Begriff sein, zu tun, gerade tun wollen	brilliant [bri'ljᵉnt]	brillant, glänzend
		scholar [ßko'lᵉ]	Gelehrter
		fiction [fi'kschᵉn]	Romanliteratur
honour [o'nᵉ]	ehren	seldom [ße'ldᵉm]	selten
dear lady [diᵉ lei'di]	gnädige Frau	mature [mᵉtju'ᵉ]	reif
some idea [aidi'ᵉ]	eine ungefähre Vorstellung	of mature years	in reiferem Alter
		lots [lotß] of	viele
experience [ikßpi'ᵉriᵉnß]	Erfahrung(en)	exist [igsi'ßt]	existieren, da sein
matter [mä'tᵉ]	etw. ausmachen, wichtig sein	seek [ßīk], sought, sought [ßōt]	suchen, darauf aus sein
learn [lŏn], learnt, learnt [lŏnt]	lernen	handle [hä'ndl]	behandeln, sich beschäftigen mit; leiten
overnight [ou'wᵉnai't]	über Nacht	publicity [pabli'ßiti]	Reklame, Werbung
it takes some people years to learn ...	manche Leute brauchen Jahre, um zu lernen ...	publicise [pa'blißais]	Reklame machen (für)
		activity [äkti'witi]	Tätigkeit
		future [fjū'tschᵉ]	Zukunft
trade [treid]	Handel, Geschäft, Gewerbe	advertise [ä'dwᵉtais]	Anzeige(n) aufgeben, Reklame machen (für)
old-fashioned [ou'ldfä'schᵉnd]	altmodisch	convince [kᵉnwi'nß]	überzeugen
traditional [trädi'schᵉnl]	traditionell, mit Tradition	be the judge [dɢadɢ] of	beurteilen
pass [päß]	vorübergehen	change [tscheindɢ]	verändern, umwandeln; wechseln
respect [rißpe'kt]	ansehen, achten, ehren		
mellow [me'lou]	gereift	resign [risai'n]	verzichten auf, aufgeben
intellectual [intile'ktjuᵉl]	intellektuell, geistig; Intellektueller, Verstandesmensch	position [pᵉsi'schᵉn]	Lage, Stellung, Posten

Explanations

Die Stellung des Adverbs

You *always* help us so much. Our authors *seldom* write fiction. We *never* advertise.

I *really* feel sad. Walter *quickly* goes to the office.

Die *unbestimmten Adverbien der Zeit* (wie *at last* schließlich, *at once* sofort, *always* immer, *never* nie, *often* oft, *seldom* selten, *soon* bald, *now* jetzt, *sometimes* manchmal u. a.) und die *Adverbien der Art und Weise* stehen in der Regel *bei einfachen Zeiten vor dem Verb* —

He doesn't *often* come. He had *already* bought the house.
I don't *really* feel hungry. Walter had *quickly* gone to the office.

bei zusammengesetzten Zeiten hinter dem (ersten) *Hilfsverb.*

Sometimes Sally goes to the manager.
Sally goes to the manager *sometimes*.
I must be going *now*. I know London *well*. Walter settles in *properly*.
He can lose his temper *occasionally*.

Sind *unbestimmte Adverbien der Zeit* oder *Adverbien der Art und Weise betont*, so stehen sie *am Anfang oder am Ende des Satzes*.

Yesterday Mr. Henderson came to see Walter.
They will meet him *tomorrow*.
They met him *in his office*.
They met him *last night*.

Die *bestimmten Adverbien der Zeit (today, yesterday, tomorrow, this year, last week u. a.)* und die *Adverbien des Ortes* stehen *am Anfang oder* (meist) *am Ende des Satzes*.

He got *safely home yesterday*.
      A&W   O   Z

Sind in einem Satz *mehrere* verschiedene *Adverbien* enthalten, so ist die Reihenfolge: *Art und Weise – Ort – Zeit*.

Verb und Objekt dürfen *nicht* durch ein Adverb *getrennt* werden!

5th Lesson

Connie: Walter – you needn't be so tactless. Now Mr. Catchpole must be terribly angry.

Walter – du brauchst doch nicht so taktlos zu sein. Mr. Catchpole muß ja jetzt schrecklich verärgert sein.

Walter: I don't want to make him angry – I want to make him understand, that's all.

Ich möchte ihn nicht verärgern – ich will nur, daß er mich versteht, mehr nicht.

C.: You're not very successful so far. I don't think he likes you at all.

Bisher bist du nicht sehr erfolgreich. Ich glaube nicht, daß er dich überhaupt mag.

Sally: He's saying you want to change everything.

Er sagt, Sie wollen alles anders machen.

W.: That isn't true. I'm going to make changes, but only gradually – and not very many.

Das ist nicht wahr. Ich will verändern, aber nur allmählich – und nicht sehr viel.

S.: Mr. Catchpole is very fond of this firm – he thinks you must hate it to want to change it.

Mr. Catchpole hängt sehr an dieser Firma – er glaubt, Sie müssen gegen sie eingestellt sein, weil Sie Veränderungen vornehmen wollen.

C.: Walter sometimes doesn't say what he means properly – now Mr. Catchpole is talking of resigning.

Walter sagt manchmal nicht alles so, wie er es eigentlich meint – und jetzt spricht Mr. Catchpole von Kündigen.

S.: He can be a very determined man at times.

Er kann manchmal sehr entschlossen sein.

W.: But I don't want to lose him – he knows everything! He's going to be indispensable to me. In fact, I want him to help me to learn what to do.

Aber ich möchte ihn nicht verlieren – er weiß über alles Bescheid. Er wird mir unentbehrlich sein. Wirklich, ich möchte, daß er mir hilft, mich hier zurechtzufinden.

C.: Then you must tell him.

Dann mußt du es ihm sagen.

W.: He is so angry, I don't think he will listen.

Er ist so verärgert. Ich glaube, er wird mir gar nicht zuhören.

C.: Then I must talk to him. While I'm gone, Miss Moor-

Dann muß ich mit ihm sprechen. Während ich fort bin, kann Miss

field can explain some of the business to you. I'm sure you will listen to her.	*Moorfield dir einiges vom Betrieb erklären. Ihr wirst du ja sicher zuhören.*
W.: In future I'm going to listen more and talk less!	*In Zukunft werde ich mehr zuhören und weniger reden!*

Connie geht in Mr. Catchpoles Büro.

C.: Mr. Catchpole – what are you doing?	*Mr. Catchpole – was machen Sie?*
Ca.: I am writing out my letter of resignation, ready to hand it to Mr. Jones.	*Ich schreibe meine Kündigung, um sie dann gleich Mr. Jones auszuhändigen.*
C.: But you don't want to resign really, do you?	*Aber eigentlich wollen Sie doch gar nicht kündigen, nicht?*
Ca.: Of course not. I love this firm – I feel myself almost part of it.	*Natürlich nicht. Ich hänge an dieser Firma – ich fühle mich fast wie ein Teil davon.*
C.: But it can't go on without you, Mr. Catchpole – you must see that.	*Aber ohne Sie kann es doch nicht weitergehen, Mr. Catchpole – das müssen Sie doch einsehen.*

Ca.: Mr. Jones seems confident enough to manage somehow. — *Mr. Jones scheint ganz überzeugt zu sein, es schon irgendwie zu schaffen.*

C.: Not without you. He doesn't want to make you angry, you know – he is very unhappy now. He needs your experience. — *Nicht ohne Sie. Er möchte Sie nicht verärgern, das wissen Sie doch – er ist jetzt sehr unglücklich. Er braucht Ihre Erfahrung.*

Ca.: I don't remember him saying so. — *Ich kann mich nicht erinnern, daß er das gesagt hat.*

C.: He sometimes speaks very clumsily. But if you go, Walter is quite lost – and that means that the firm is lost, too. Do you really want that to happen? — *Er drückt sich manchmal recht ungeschickt aus. Aber wenn Sie fortgehen, ist Walter ganz verloren – und das bedeutet, daß die Firma auch verloren ist. Wollen Sie wirklich, daß das geschieht?*

Ca.: No. But if Mr. Jones really needs me, then he must say so. — *Nein. Aber wenn Mr. Jones mich tatsächlich braucht, dann muß er es sagen.*

C.: I'm sure he wants to. Let's go and find him. — *Das möchte er bestimmt. Wir wollen ihn suchen gehen.*

Sie gehen in Walters zukünftiges Büro.

W.: ... and this is the dictaphone. Why, the office is really quite modern. — *... und dies ist das Diktiergerät. Also, das Büro ist wirklich ganz modern.*

S.: It's only the decorations that are old-fashioned. Mr. Catchpole always makes sure that all our office equipment is up to date. — *Es ist nur die Einrichtung, die so altmodisch ist. Mr. Catchpole sorgt immer dafür, daß unsere Büroausstattung ganz modern ist.*

W.: It's more and more obvious that I can't do without him. — *Es wird immer klarer, daß ich ohne ihn nicht auskommen kann.*

Er sieht Mr. Catchpole an der Tür.

There you are! Please come in – I do want to apologize for making you angry. — *Da sind Sie ja! Bitte, kommen Sie doch herein – ich möchte mich dafür entschuldigen, daß ich Sie verärgert habe.*

Ca.: Not at all – perhaps your true meaning is unclear to me. — *Nicht der Rede wert – vielleicht habe ich Sie nicht richtig verstanden.*

W.: Then let me make it clear – — *Dann lassen Sie es mich ganz*

I need your help in bringing about one or two small changes that will affect me personally. I'd like you to advise me.	*klar sagen – ich brauche Ihre Hilfe, um ein paar kleine Veränderungen durchzuführen, die mich persönlich betreffen. Ich hätte gern, daß Sie mich dabei beraten.*
Ca.: I am very pleased to be of service – if my experience can be of any help.	*Ich bin gern zu Diensten – wenn meine Erfahrung irgendwie von Nutzen sein kann.*
W.: It will be invaluable! Let's go into your office and discuss what we must do first.	*Sie wird mir unschätzbar sein! Wir wollen in Ihr Büro gehen und besprechen, was wir zuerst tun müssen.*
Ca.: I am honoured. Come with me.	*Ich fühle mich geehrt. Kommen Sie!*

Die beiden verlassen das Zimmer.

C.: I'm so glad that is settled.	*Ich bin so froh, daß das geregelt ist.*
S.: You must know the right things to say to Mr. Catchpole – he isn't angry at all now.	*Man muß nur wissen, wie man richtig mit Mr. Catchpole sprechen muß – er ist jetzt gar nicht mehr verärgert.*
C.: And Walter feels that things aren't too old-fashioned here, it seems.	*Und Walter merkt anscheinend, daß hier gar nicht alles so altmodisch ist.*
S.: Without us women, men are so silly.	*Ohne uns Frauen sind doch die Männer recht dumm.*
C.: They are little boys – they need us all the time.	*Es sind kleine Jungen – sie brauchen uns ständig.*
S.: Yes – they can't do anything without us.	*Ja – ohne uns kommen sie nicht aus.*
C.: But we mustn't ever let them know that we women understand that boys will be boys!	*Aber wir dürfen sie nie merken lassen, daß wir Frauen wissen, daß Jungen eben immer Jungen bleiben!*

Words and Phrases

tactless [tä´ktliß]	*taktlos*	be fond [fond] of	*sehr gern mögen, lieben, hängen an*
successful [ßekße´ßful]	*erfolgreich*		
so far	*so weit, bisher*	hate [heit]	*nicht mögen, eingenommen sein gegen, hassen*
gradual [grä´djuel]	*allmählich*		

33

proper [pro'pe]   *richtig, passend, angemessen*

resign [risai'n]   *aufgeben, verzichten auf, zurücktreten*

determined [ditð'mind]   *entschlossen*

at times   *manchmal*

(in)dispensable [(in)diße'nßibl]   *(un)entbehrlich*

explain [ikßplei'n] (to)   *(j-m) erklären, erläutern*

resignation [resignei'schen]   *Verzicht, Rücktritt*

feel part of   *sich als Teil von etw. fühlen*

confident [ko'nfident]   *zuversichtlich, überzeugt*

somehow [ßa'mhau]   *irgendwie* [beholfen]

clumsy [kla'msi]   *ungeschickt, un-*

dictaphone [di'ktefoun]   *Diktiergerät*

modern [mo'den]   *modern*

decoration [dekerei'schen]   *Ausschmückung, Einrichtung*

equipment [ikωi'pment]   *(technische) Ausstattung, Ausrüstung*

up to date [ap te dei't]   *neuzeitlich, modern*

obvious [o'bwieß]   *offensichtlich, klar*

do without   *ohne ... auskommen*

apologize [epo'ledQais]   *sich entschuldigen*

not at all   *ganz und gar nicht, bitte sehr, nicht der Rede wert*

meaning [mĭ'ning]   *Bedeutung, Sinn; Absicht*

bring about   *mit sich bringen; zustande bringen*

one or two   *ein paar, wenige*

affect [efe'kt]   *betreffen; beeinflussen*

personal [pð'ßnl]   *persönlich*

advise [edwai's]   *beraten*

be of service [ßð'wiß]   *zu Diensten sein*

invaluable [inwä'ljuebl]   *unschätzbar*

discuss [dißka'ß]   *diskutieren, besprechen*

Explanations

Der Infinitiv

to go gehen, *to think* denken, *to swim* schwimmen, *to be* sein, *to do* tun, *to have* haben

Der *Infinitiv* wird im Englischen durch *to* gekennzeichnet.

a) Changes that will *affect* me personally.
   I'll *go* and *tell* Mr. Catchpole.
   Can I *help* you?
   He may *find* life rather difficult.
   It must *be* something special.
   What do you *mean*?

b) Let me *see* you to the door.
   I made him *understand*.

c) You had better *tell* him.
   We had rather *go* soon.
   I cannot but *laugh*.

Der *Infinitiv* steht *ohne to nach:*

a) den unvollständigen Hilfsverben *will, shall, can, may, must* und nach *to do;*
b) *to let* zulassen, *to make* veranlassen
c) *I had better* ich täte besser (daran)
   I had rather ich hätte / möchte / würde lieber
   I cannot but ich kann nicht umhin, ich muß einfach

Der Infinitiv des Passivs

It can't *be done* overnight.	*Man kann es nicht über Nacht tun.*
Young men should *be given* a chance.	*Jungen Menschen sollte eine Chance gegeben werden.*
It is not *to be seen* from here.	*Es ist von hier aus nicht zu sehen.*

Hat ein *Infinitiv passivische Bedeutung,* so hat er auch *passivische Form.*

Aktiv	to do	*tun*	*Passiv*	to be done	*getan werden*
	to give	*geben*		to be given	*gegeben werden*
	to see	*sehen*		to be seen	*gesehen werden*

Ein solcher passivischer Infinitiv wird *im Deutschen oft* durch eine Wendung mit *man* wiedergegeben.

a) He knows all there is *to know.*	*Er weiß alles, was man wissen muß (= was gewußt werden muß).*
b) Money is hard *to get.*	*Geld ist schwer zu bekommen (= Geld kann nur schwer erlangt werden).*
c) This house is *to let.*	*Dieses Haus ist zu vermieten (= kann vermietet werden).*

Die *Aktivform* wird trotzdem verwendet:

a) *nach there is / are;*
b) *nach Adjektiven,* wenn der Sinn ohnehin klar ist;
c) *bei to let* = vermieten.

6ᵗʰ Lesson

Walter und Connie wohnen nun schon seit ein paar Wochen in ihrem Haus in Chelsea. Während sie beim Frühstück sitzen und Walter in die Zeitung schaut, kommt Connie plötzlich auf die Idee, die Möbel umzustellen.

Connie: Walter – I want to re-arrange the furniture.

Walter, ich möchte die Möbel umstellen.

Walter: But why? It's very nice as it is.

Aber warum denn? Es ist doch sehr hübsch, wie es ist.

C.: This new bookcase doesn't look right here.

Dieser neue Bücherschrank macht sich hier nicht gut.

W.: It's very attractive. I love it there, myself.

Er ist sehr schön. Mir gefällt er da.

C.: I want it put here.

Ich möchte ihn hierhin (gestellt) haben.

W.: Yes, dear.

Ja, Liebling.

C.: Walter – furniture doesn't move itself.

Walter, Möbel bewegen sich nicht von selbst.

W.: No, dear.

Nein, Liebling.

C.: Walter, if you help me now, you get your favourite dinner.

Walter, wenn du mir jetzt hilfst, bekommst du dein Lieblingsessen.

W.: Oh, that's different! What do you think I ought to move first?

O, das ist etwas anderes! Was, meinst du, sollte ich zuerst umstellen?

C.: The settee.

Das Sofa.

W.: It's rather heavy.

Es ist ziemlich schwer.

C.: But Walter, you're strong. Surely you can move it quite easily by yourself.

Du bist doch stark, Walter. Du kannst es bestimmt ganz leicht allein schieben.

W.: I'll try. But I don't want to strain myself.

Ich will's versuchen. Aber ich möchte mich nicht überanstrengen.

C.: Well, do it carefully, please. I won't forgive myself if you're unwell afterwards. – What is next?

Gut, dann mache es bitte vorsichtig. Ich würde es mir nicht verzeihen, wenn du dich hinterher nicht wohl fühlst. – Was kommt als nächstes?

W.: While you're thinking, I can have a little rest.

Während du überlegst, kann ich mich ein bißchen ausruhen.

C.: I don't need to think – I know exactly what I want. Come along. — *Ich brauche nicht zu überlegen – ich weiß genau, was ich will. Los, komm!*

W.: Yes, Connie. — *Ja, Connie.*

C.: This armchair – over there ... No, perhaps not there – more this way ... No, it still doesn't look right – I know – there! — *Diesen Sessel – dort hinüber ... Nein, vielleicht nicht dorthin – mehr hierher ... Nein, das sieht immer noch nicht richtig aus – ich weiß – dorthin!*

W.: Connie – that's just where I started from! — *Connie – das ist genau da, wo ich angefangen habe!*

C.: Yes, it looks just right there. Good. — *Ja, dort sieht er genau richtig aus. Gut.*

W.: What else is there to do? — *Was ist noch zu tun?*

C.: The bookcase – there – between the two chairs. — *Den Bücherschrank – dorthin – zwischen die beiden Stühle.*

W.: This is the last thing I'm moving! — *Das ist aber das letzte, was ich verrücke.*

C.: Thank you ... yes, that's just right. Walter, you're — *Danke schön ... ja, das ist genau richtig. Walter, du bist*

	wonderful, so clever, arranging the room like this.	*wunderbar, so geschickt, wie du die Möbel im Zimmer aufgestellt hast.*

W.: Oh? Yes, it is rather pleasant. I'm quite pleased.
Ja? Doch, es ist recht hübsch. Ich bin ganz zufrieden.

C.: Now there's only one thing I want done.
Jetzt möchte ich nur noch eins gemacht haben.

W.: Oh, Connie – what now?
O, Connie – was jetzt?

C.: Books.
Bücher.

W.: Books?
Bücher?

C.: For the bookcase. Who wants a bookcase without books in it?
Für den Bücherschrank. Wer will schon einen Bücherschrank ohne Bücher drin?

W.: That's true. But we havn't got many books here. Certainly not enough to fill that bookcase.
Das stimmt. Aber wir haben hier nicht viele Bücher. Bestimmt nicht genug, um den Bücherschrank zu füllen.

C.: Then we must get some.
Dann müssen wir uns welche besorgen.

W.: But where can we get them?
Aber woher?

C.: We can buy them.
Wir können sie kaufen.

W.: Not new ones – so many books are bound to cost a lot of money. We can use second-hand ones.
Aber doch nicht neue – so viele Bücher müssen doch eine Menge Geld kosten. Wir können doch antiquarische dazu verwenden.

C.: Oh no, Walter. The books must look new. I don't want to spoil the bookcase – it isn't going to look right if I put old books in it.
Ach nein, Walter. Die Bücher müssen neu aussehen. Ich will doch nicht den Bücherschrank verschandeln – das sieht doch nicht schön aus, wenn ich alte Bücher da reinstelle.

W.: Better think of something else, then.
Dann denken wir uns lieber was anderes aus.

C.: Walter! I think I have an idea.
Walter, ich glaube, ich habe eine Idee!

Words and Phrases

re-arrange [rī'ᵉrei'ndǝ]	*umordnen, umstellen, ändern*	attractive [ᵉträ'ktiw]	*attraktiv, reizvoll, hübsch*
furniture [fǒ'nitschᵉ]	*(die) Möbel, Hausrat*	favourite [fei'wᵉrit]	*Lieblings...*
bookcase [bu'kkeiß]	*Bücherschrank*	different [di'frᵉnt] (from)	*anders (als), verschieden (von)*

that's different	das ist etw. ande-res	clever [kle'wᵉ]	klug, geschickt, tüchtig
settee [βetī']	(kleines) Sofa	arrange	einrichten, (an-)
heavy [he'wi]	schwer	[ᵉrei'ndʛ]	ordnen
do something by oneself	etw. selbst / allein tun	like this	so, auf diese Wei-se
strain [βtrein]	(an)spannen, (über)anstren-gen	pleasant [ple'snt]	angenehm, hübsch, erfreu-lich
forgive [fᵉgi'w], forgave [fᵉgei'w], forgiven [fᵉgi'wn]	vergeben, verzei-hen	be pleased (with)	zufrieden sein (mit)
unwell [a'nωe'l]	unwohl, unpäß-lich	be bound [baund] to do sth.	(zwangsläufig) etw. tun müssen
have a (little) rest	sich (ein bißchen) ausruhen	fill [fil]	füllen
armchair [ā'mtschäᵉ]	Sessel	second-hand [βe'kᵉndhä'nd]	gebraucht, anti-quarisch
between [bitωī'n]	zwischen	spoil [βpoil], spoilt, spoilt [βpoilt]	verderben, ruinieren

Explanations

Das Reflexivpronomen

I don't want to strain *myself*.
I won't forgive *myself*.
Furniture doesn't move *itself*.

Die Wörter *myself, itself* sind *Reflexivpronomen* (rückbezügliche Fürwörter). Sie *beziehen sich* als Objekt *auf das Subjekt zurück*, Objekt und Subjekt sind also dieselbe Person.

Die Reflexivpronomen sind:

myself [mai'βelf]   *ourselves* [au'ᵉβelws]
yourself   *yourselves*
himself   *themselves*
herself
itself   unpersönlich: *oneself, oneselves* (man ... sich)

I wash *myself*.   *Ich wasche mich (selbst).*
He washes *himself*. *Er wäscht sich (selbst).*
We wash *ourselves*. *Wir waschen uns (selbst).*

Mit dem Reflexivpronomen werden die *reflexiven Verben* gebildet.

to dress (oneself)	*sich anziehen*
to wash (oneself)	*sich waschen*
to prepare (oneself)	*sich vorbereiten*
to move (oneself)	*sich bewegen*

Einige *Verben* können *mit* oder *ohne Reflexivpronomen* verwendet werden, ohne ihre Bedeutung zu verändern.

to approach	*sich nähern*
to change	*sich ändern*
to complain	*sich beklagen*
to differ u. a.	*sich unterscheiden*

Andere Verben bilden *keine reflexive Form*, auch wenn sie im Deutschen *reflexiv gebraucht* werden.

They looked at *each other*.　*Sie sahen sich gegenseitig an.*

Um die *Gegenseitigkeit* auszudrücken, benutzt man *each other* = einer den anderen, einander.

I love it there, *myself*.　*Mir gefällt es da (, wo es jetzt ist).*
You can move it *yourself*.　*Du kannst es selbst verrücken.*

Das *Reflexivpronomen* kann auch *zur Hervorhebung* benutzt werden.

You can move it *by yourself*.　*Du kannst es allein (ohne Hilfe)*
　　　　　　　　　　　　　　　verrücken.
by oneself heißt „selbst", „allein", „ohne Hilfe".

7th Lesson

Walter: What is this wonderful idea, Connie? — *Was ist das für eine wundervolle Idee, Connie?*

Connie: We want some attractive books for our bookcase – is that right? — *Uns fehlen doch ein paar hübsche Bücher für unseren Bücherschrank, nicht wahr?*

W.: Of course it is. — *Natürlich, das stimmt.*

C.: Well – who makes and publishes the best books in London? — *Also, wer macht und verlegt die besten Bücher in London?*

W.: Who? — *Wer?*

C.: Why, the Alpha Publishing Company, of course! — *Nun, natürlich der Alpha-Verlag!*

W.: Of course . . . our firm! — *Natürlich . . . unsere Firma!*

C.: And you are the manager. You can get the books. — *Und du bist Geschäftsführer. Du kannst die Bücher bekommen.*

W.: Yes . . . but . . . — *Ja . . ., aber . . .*

C.: Is it that you don't like asking? — *Du möchtest nicht gern darum bitten?*

W.: Yes . . ., that's right. — *Ja . . ., das stimmt.*

C.: Well – why not ask Sally to arrange it for you? I can ring her up, and she can arrange it immediately. — *Na, warum nicht Sally bitten, das für dich zu erledigen? Ich kann sie anrufen, und sie kann es sofort veranlassen.*

W.: That's a good idea – she can have the books put in a box and I can bring them home, this evening. — *Das ist ein guter Gedanke – sie kann die Bücher in eine Kiste packen lassen, und ich kann sie heute abend mit nach Hause bringen.*

C.: Then we can see our bookcase as it ought to be – full of wonderful books! — *Dann können wir unseren Bücherschrank so sehen, wie er aussehen sollte – voller wunderschöner Bücher.*

W.: We'd better give her all the details – the size of the books and the number we want. Phone her now. — *Dann geben wir ihr am besten auch gleich alle Einzelheiten an – die Größe der Bücher und wie viele wir brauchen. Ruf sie gleich an!*

C.: I'll do that – as you leave for the office. — *Das mache ich, wenn du ins Büro gehst.*

Sie ruft im Büro an.

Sally: Alpha Publishing Company – can I help you?

Alpha-Verlagsgesellschaft – womit kann ich dienen?

C.: Is that Miss Moorfield? This is Mrs. Jones.

Ist dort Miss Moorfield? Hier ist Mrs. Jones.

S.: Yes, Mrs. Jones – what is it?

Ja, Mrs. Jones – worum handelt es sich?

C.: Well, Walter wants some books packed up for himself.

Also, Walter möchte sich einige Bücher einpacken lassen.

S.: Yes . . .? How many?

Ja . . . ? Wie viele?

C.: Fifty. Is that possible?

Fünfzig. Ist das möglich?

S.: Oh yes – more if he needs them. Which ones does he want?

O ja – auch mehr, wenn er sie braucht. Welche möchte er denn?

C.: They must be eleven inches high, and about seven inches deep.

Sie müssen elf Zoll hoch und ungefähr sieben Zoll breit sein.

S.: Oh . . .?

Aha . . .?

C.: Have you got that measurement?

Haben Sie die Maße?

S.: Yes . . . I think so.

Ja . . . , ich glaube.

C.: And they mustn't be too thin . . . or too thick.

Und sie dürfen nicht zu dünn sein . . . und auch nicht zu dick.

S.: Yes, Mrs. Jones . . .

Ja, Mrs. Jones . . .

C.: And they must look gay and attractive . . . and if possible generally a green sort of colour.

Und sie müssen nett und ansprechend aussehen . . . und wenn möglich im ganzen in einem grünen Farbton.

S.: Yes, Mrs. Jones.

Ja, Mrs. Jones.

C.: Do you think you can have them put in a box ready for him to collect?

Meinen Sie, Sie können sie in eine Kiste packen lassen, damit er sie jederzeit abholen kann?

S.: Doesn't he want to choose them himself?

Möchte er sie nicht selber aussuchen?

C.: Oh, no – we'll leave that to you. As long as they are what I've just told you, you please yourself about the titles.

Ach nein – das überlassen wir ganz Ihnen. Wenn sie nur so sind, wie ich es Ihnen eben gesagt habe, machen Sie es mit den Titeln nur, wie es Ihnen gefällt.

S.: All right, Mrs. Jones. I can do that straight away, and

Gut, Mrs. Jones. Das kann ich sofort tun. Ich lasse sie für Mr.

have them ready for Mr. Jones, when he leaves.	*Jones bereitlegen, damit er sie mitnehmen kann, wenn er geht.*
C.: Thank you so much, Sally – goodbye.	*Vielen Dank, Sally, auf Wiedersehen.*

Sie legt den Hörer auf.

Oh, I just can't wait till Walter comes home, to see those books.	*Ach, ich kann es gar nicht erwarten, daß Walter nach Hause kommt und ich die Bücher sehe.*

Einige Stunden später.

C.: It's seven o'clock. Walter is usually here by now. I do wish he'd come home quickly. Is that you, Walter?	*Es ist sieben. Um diese Zeit ist Walter gewöhnlich schon hier. Ich wünschte, er käme schnell nach Hause. Bist du das, Walter?*
W.: Yes, darling – here is the box of books!	*Ja, Liebling – hier ist die Bücherkiste!*
C.: I can hardly wait to see them, and put them into the bookcase!	*Ich kann es kaum erwarten, sie zu sehen und in den Bücherschrank zu stellen!*
W.: Here we are ... they look very grand.	*So, hier, ... die sehen ja großartig aus.*
C.: What's the first one called, Walter?	*Wie heißt das erste, Walter?*
W.: Oh ... "The Fun Book of Party Games" ... still – it looks good.	*Ach ..., ,,Das Buch der lustigen Gesellschaftsspiele'' ... na, es sieht wenigstens gut aus.*
C.: Oh yes. What's next?	*O ja. Was ist das nächste?*
W.: This one's called ... Oh!	*Dies heißt ... Ach!*
C.: Well – what is it's title?	*Na, wie ist der Titel?*
W.: "The Fun Book of Party Games" ... it's the same. Connie ... oh dear ... Connie.	*,,Das Buch der lustigen Gesellschaftsspiele'' ... es ist dasselbe. Connie ... o je ... Connie,*
C.: What is wrong?	*Was ist los?*
W.: They are all the same.	*Es sind alles dieselben.*
C.: All of them?	*Alle?*
W.: Fifty copies of "The Fun Book of Party Games" – all for us!	*Fünfzig Exemplare vom ,,Buch der lustigen Gesellschaftsspiele'' – alle für uns!*
C.: Oh, Walter! We can't possibly put them into our bookcase.	*Ach, Walter! Die können wir doch unmöglich in unseren Bücherschrank stellen.*

W.:	Connie, you did tell Sally that you wanted fifty different books, didn't you?	*Connie, du hast doch Sally gesagt, daß du fünfzig verschiedene Bücher haben wolltest, oder?*
C.:	No, I don't think I did.	*Nein, ich glaube nicht.*
W.:	Oh, well, there's nothing else for it.	*Na, da ist nichts zu machen.*
C.:	What are you going to do, Walter?	*Was willst du tun, Walter?*
W.:	Well – we must have a party and give these books away as prizes in our party games!	*Na, wir müssen eine Party geben und diese Bücher als Preise für unsere Gesellschaftsspiele vergeben!*

Words and Phrases

want	*brauchen, nicht haben*	detail [dɪˈteil]	*Einzelheit*
		size [ßais]	*Größe*
I want	*ich brauche, mir fehlt / fehlen*	phone [foun]	*anrufen, (an-) telefonieren*
ring [ring] up, rang [räng], rung [rang]	*anrufen, antelefonieren*	leave [līw], left, left [left]	*verlassen; fort-, losgehen, abfahren; überlassen*
immediately [imīˈdjᵉtli]	*sofort, umgehend*	inch [intsch]	*Zoll (= 2,5 cm)*
		deep [dīp]	*tief, breit*
she has the books put in a box	*sie läßt die Bücher in eine Kiste packen*	measurement [meˈǤᵉmᵉnt]	*Maß, Größe*
		thin [θin]	*dünn*
full of	*voll mit, voller*	thick [θik]	*dick*

44

gay [gei]	*lustig, fröhlich, nett*	straight [ßtreit] away	*sofort, umgehend [lich]*
generally [dĝe'n°r°li]	*im allgemeinen, im großen und ganzen*	usual [jū'Qu°l] by now	*gewöhnlich, üb-} spätestens jetzt, um diese Zeit*
colour [ka'l°]	*Farbe*	grand [gränd]	*großartig, präch-*
a green sort of colour	*ein grüner Farbton*	be called	*tig genannt werden,*
collect [k°le'kt]	*(ein)sammeln, (ab)holen*	fun [fan]	*heißen Spaß, Scherz,*
ready for him to collect	*fertig, daß er sie abholen kann*	party [pā'ti]	*Ulk Gesellschaft, Party*
choose [tschūs], chose [tschous], chosen [tschou'sn]	*(aus)wählen, (aus)suchen*	game [geim] copy [ko'pi]	*Spiel, Zeitvertreib Abschrift, Kopie,*
as long as	*solange (wie); vorausgesetzt, daß*	there's nothing else for it	*Exemplar da ist nichts zu machen, da*
please yourself about ...	*handeln Sie bei... nach Belieben*		*kann man nichts tun*
title [tai'tl]	*Titel, Überschrift*	prize [prais]	*Preis, Belohnung, Auszeichnung*

Explanations

Der Akkusativ mit dem Infinitiv

We saw Walter. (Walter = Objekt [wen?])
    Walter went to the office. (Walter = Subjekt [wer?])
We saw *Walter go* to the office. (Walter = Objekt u. Subjekt)

Der letzte Satz besteht aus einem Hauptsatz *(We saw Walter)* und einem Nebensatz. *Walter* ist das *Objekt des Hauptsatzes* (Wen sahen wir?) und *gleichzeitig* das *Subjekt des Nebensatzes* (Wer ging ins Büro?). Das *Prädikat des Nebensatzes* steht im *Infinitiv (go)*. Man nennt diese Konstruktion: *Akkusativ mit dem Infinitiv*. Sie ist im Englischen häufiger als *im Deutschen*, wo sie *oft* durch einen *daß-Satz* wiedergegeben wird (Wir sahen, daß Walter ins Büro ging).

We *saw him run* along the street. *Wir sahen ihn die Straße entlanglaufen.*
He *heard them sing*.   *Er hörte sie singen.*
She *felt her heart beat*.   *Sie fühlte ihr Herz klopfen.*

Der *Infinitiv* steht *ohne to nach* den *Verben der sinnlichen Wahrnehmung (to see, to hear, to feel* u. a.) –

We *made him come*.   *Wir ließen ihn kommen (veranlaßten, daß er kam).*

We *let him go*.	*Wir ließen ihn gehen (ließen zu, daß er ging).*

und *nach to make* veranlassen, *to let* zulassen.

We *ask Sally to arrange* it.	*Wir bitten Sally, es zu erledigen.*
I *want him to help* me.	*Ich möchte, daß er mir hilft.*
We *like him to come* to us.	*Wir haben es gern, daß er zu uns kommt.*

Do you *want that to happen*? *Möchtest du, daß das geschieht?*

Der *Infinitiv mit to* steht *nach* den *Verben der Willensäußerung*, wie z. B.:

to allow	*erlauben*	to mean	*beabsichtigen*
to ask	*bitten, auffordern*	to order	*befehlen*
to beg	*bitten*	to permit	*erlauben*
to cause	*veranlassen*	to suffer	*zulassen, dulden*
to expect	*erwarten*	to tell	*heißen, befehlen*
to forbid	*verbieten*	to want	*wünschen, wollen*
to intend	*beabsichtigen*	to wish	*wünschen, wollen*
to like	*gern haben	(tun)*		

Walter *thought his office to be* rather old-fashioned.	*Walter hielt sein Büro für recht altmodisch (glaubte, es sei . . .).*
Mr. Catchpole *expected him to learn*.	*Mr. Catchpole erwartete, daß er lernte.*
Connie *found Mr. Catchpole to be* a nice old man.	*Connie fand, daß Mr. Catchpole ein netter alter Herr sei.*

und *nach* den *Verben des Sagens und Denkens*, wie z. B.:

to admit	*zugeben*	to believe	*glauben*
to declare	*erklären*	to think	*halten für*
to deny	*leugnen*	to expect	*erwarten*
to imagine	*sich vorstellen*	to prove	*beweisen, sich erweisen*
to know	*wissen*	to find	*finden, meinen*
to suppose	*vermuten*	to confess	*bekennen*

jedoch *nicht nach:*

to answer	*antworten*	to say	*sagen*
to fear	*befürchten*	to reply	*erwidern*
to hope	*hoffen*		

die einen *Nebensatz mit that* erfordern:

They *hoped that* he would be at home at six o'clock.

Die *Umgangssprache* bevorzugt bei allen *Verben des Sagens und Denkens* den *Nebensatz*.

8th Lesson

Connie hat sich inzwischen als Walters Assistentin im Verlag eingearbeitet und ist im Augenblick damit beschäftigt, erledigte Korrespondenz abzulegen.

Catchpole: Er – Mrs. Jones?   *Äh . . . Mrs. Jones?*

Connie: Yes, Mr. Catchpole – what is it?   *Ja, Mr. Catchpole, was ist?*

Ca.: A delicate matter, I'm afraid.   *Eine heikle Sache, fürchte ich.*

C.: If you want Mr. Jones, he's out – he went to a business appointment an hour ago.   *Wenn Sie Mr. Jones brauchen, der ist fortgegangen – er ist vor einer Stunde zu einer geschäftlichen Verabredung gegangen.*

Ca.: I know – and he took his secretary with him. That's what makes it difficult.   *Ich weiß – und er hat seine Sekretärin mitgenommen. Das macht es so schwierig.*

C.: What's difficult, Mr. Catchpole?   *Was ist schwierig, Mr. Catchpole?*

Ca.: There's a person in the office. And it isn't my job to deal with such people. I am the Chief Clerk, after all.   *Da ist jemand im Büro. Und es ist nicht meine Sache, mich mit solchen Leuten abzugeben. Schließlich bin ich Bürovorsteher.*

C.: Of course, and I'm sorry you've been bothered. Who is the person?   *Natürlich, und es tut mir leid, daß man Sie belästigt hat. Wer ist es denn?*

Ca.: A writer. With a manuscript.   *Ein Schriftsteller. Mit einem Manuskript.*

C.: Oh? Do we know him? Have you seen him before?   *So? Kennen wir ihn? Haben Sie ihn schon einmal gesehen?*

Ca.: No, I haven't. What's more, he doesn't look like an author. Not the kind of author I like to see.   *Nein. Außerdem sieht er nicht wie ein Autor aus. Jedenfalls nicht wie einer, wie ich ihn gern sehe.*

C.: Then I must see him. We must be kind to authors, Mr. Catchpole, even if they are not successful.   *Dann muß ich mit ihm sprechen. Wir müssen freundlich zu Autoren sein, selbst wenn sie nicht erfolgreich sind.*

Ca.: It's such a long time since I saw a really successful, well-   *Es ist schon so lange her, daß ich einen wirklich erfolgreichen, gut-*

	dressed author. We had so many, in the old days.	gekleideten Autor gesehen habe. Wir hatten so viele in der guten alten Zeit.
C.:	Times change, Mr. Catchpole – and so do the young men who write books. I haven't seen many rich authors recently.	Die Zeiten ändern sich, Mr. Catchpole – und die jungen Leute, die Bücher schreiben, auch. Ich habe in letzter Zeit nicht viele reiche Autoren gesehen.
Ca.:	This one looks very poor indeed – like a tramp. A few minutes ago, when I was talking to him, he was quite unpleasant – very ill-mannered.	Dieser sieht wirklich sehr ärmlich aus – wie ein Landstreicher. Als ich vor ein paar Minuten mit ihm sprach, war er sehr unangenehm – sehr unerzogen.
C.:	Bring him to me and let me see what he wants.	Bringen Sie ihn zu mir, und ich werde sehen, was er will.
Ca.:	Very well, Mrs. Jones – but I've warned you. If you need my assistance in dealing with him …	Gut, Mrs. Jones – aber ich habe Sie gewarnt. Wenn Sie meine Hilfe brauchen, wenn Sie mit ihm verhandeln …
C.:	I'll call you, don't worry. Ask him to come in, please.	Ich werde Sie rufen, machen Sie sich keine Sorgen. Bitten Sie ihn bitte hereinzukommen.

Mr. Catchpole führt den Besucher herein.

Ca.:	Here is the – person, Mrs. Jones.	Hier ist der – Betreffende, Mrs. Jones.
C.:	Good morning, Mr. – er.	Guten Morgen, Mr. – äh.
Reed:	My name is Joe Reed.	Ich heiße Joe Reed.
C.:	Do sit down, Mr. Reed. What can I do for you?	Setzen Sie sich, Mr. Reed. Was kann ich für Sie tun?
R.:	Well, I've written a book.	Also, ich habe ein Buch geschrieben.
C.:	And you want us to look at it, is that it?	Und Sie möchten, daß wir es uns ansehen, ist es so?
R.:	I want you to publish it. It's good.	Ich möchte, daß Sie es herausbringen. Es ist gut.
C.:	You're very confident about it.	Sie sind sehr überzeugt davon.
R.:	I am. It took me long enough to write. I started it about two years ago.	Das bin ich. Ich habe lange genug daran geschrieben. Vor etwa zwei Jahren habe ich angefangen.

C.: Haven't you done anything else since then?	*Haben Sie seitdem nichts anderes getan?*
R.: No, I've done nothing else. This novel is very important to me.	*Nein, sonst nichts. Dieser Roman ist mir sehr wichtig.*
C.: But how have you managed to live?	*Aber wovon haben Sie gelebt?*
R.: I manage. If this book is published, I can say it has been worth it.	*Ich komme schon zurecht. Wenn dieses Buch veröffentlicht wird, kann ich sagen, es hat sich gelohnt.*
C.: What's it about?	*Wovon handelt es?*
R.: It's based on my own life, really.	*Es ist eigentlich auf meinem eigenen Leben aufgebaut.*
C.: Is it exciting – an adventure?	*Ist es aufregend – ein Abenteuer?*
R.: Not really. It's about people, and the things they do, and the things that happen to them – just like real life.	*Eigentlich nicht. Es handelt von Menschen und dem, was sie tun und was ihnen geschieht – so wie das wirkliche Leben.*
C.: That sort of book is very difficult to sell.	*Solche Bücher verkaufen sich sehr schwer.*
R.: People are going to like it – I know it.	*Die Leute werden es schon mögen – das weiß ich.*
C.: How can you be so sure?	*Wie können Sie so sicher sein?*

R.: I believe in myself. If you publish my book, your firm will be famous as well as me.

Ich glaube an mich selbst. Wenn Sie mein Buch herausbringen, wird Ihr Verlag ebenso berühmt sein wie ich.

C.: Well, Mr. Reed, it sounds very interesting. Could you just give me half an hour to have a look at your manuscript?

Nun, Mr. Reed, das hört sich sehr interessant an. Könnten Sie mich mal eine halbe Stunde in das Manuskript sehen lassen?

R.: Of course. I can easily spend half an hour in the bookshop along the road.

Natürlich. Ich kann gut eine halbe Stunde in der Buchhandlung hier in der Straße verbringen.

Nach einer halben Stunde.

R.: Well, Mrs. Jones, what do you think now that you've had a chance to look it over? Have you decided to take it?

Nun, Mrs. Jones, was meinen Sie jetzt, nachdem Sie Gelegenheit hatten, es sich anzusehen? Haben Sie sich entschlossen, es anzunehmen?

C.: Can you come back tomorrow? I'll have the contract and the advance cheque waiting for you then.

Können Sie morgen wiederkommen? Ich werde sehen, daß dann der Vertrag und ein Scheck über einen Vorschuß für Sie bereitliegen.

R.: How can I thank you? I've hoped for so long – and now!

Wie kann ich Ihnen nur danken? Ich habe so lange gehofft – und jetzt!

C.: I'm glad. – Now all I have to do is to convince Walter. I do hope he likes it.

Ich freue mich! – Jetzt muß ich nur noch Walter überzeugen. Hoffentlich gefällt es ihm.

Words and Phrases

delicate [de′likit]	*zart, fein; heikel*	bother [bo′ðe]	*belästigen, stören*
be out	*fort(gegangen)* ⎫	manuscript [mä′njuskript]	*Manuskript*
go out	*fortgehen [sein]* ⎭	what's more	*außerdem, obendrein*
appointment [ᵉpoi′ntmᵉnt]	*Verabredung*	well-dressed [ωe′ldre′ßt]	*gutgekleidet*
person [pö′ßn]	*Person*	in the old days	*in der guten alten Zeit*
deal [dīl] with	*sich befassen mit; verhandeln mit; handeln von*	recently [rī′ßntli]	*kürzlich, in letzter Zeit*
chief clerk [tschī′f klā′k]	*Bürovorsteher*	tramp [trämp]	*Landstreicher*

50

unpleasant [anple'snt]	*unangenehm, unerfreulich*	be worth [ωðθ] it	*es wert sein, sich lohnen*
ill-mannered [i'lmä'nᵉd]	*unerzogen, mit schlechtem Benehmen*	be based [beißt] on	*beruhen auf, sich stützen auf*
warn [ωōn] (of)	*warnen (vor), hinweisen (auf)*	adventure [ᵉdwe'ntschᵉ]	*Abenteuer*
assistance [ᵉßi'ßtᵉnß]	*Hilfe, Unterstützung*	famous [fei'mᵉß]	*berühmt*
worry [ωa'ri]	*(sich) beunruhigen / Sorgen machen*	bookshop [bu'kschop]	*Buchhandlung*
is that it?	*ist es so?*	contract [ko'nträkt]	*Vertrag*
it takes me (an hour)	*ich brauche (eine Stunde) dazu*	advance cheque [ᵉdwā'nß tschek]	*Scheck über eine Vorschußzahlung*

Explanations

Gebrauch des Präteritums und des Perfekts

Mr. Jones *went* to a business appointment an hour ago . . .	*Mr. Jones ist vor einer Stunde zu einer geschäftlichen Verabredung gegangen . . .*
and he *took* his secretary with him.	*und er hat seine Sekretärin mitgenommen.*
It's such a long time since I *saw* a successful author.	*Es ist schon so lange her, daß ich einen erfolgreichen Autor gesehen habe.*
It *took* me long enough to write.	*Ich habe lange genug daran geschrieben.*
I *started* it about two years ago.	*Vor zwei Jahren habe ich angefangen.*
A few minutes ago, he *was* quite unpleasant.	*Vor ein paar Minuten war er sehr unangenehm.*

Das *Präteritum* bezeichnet eine *in der Vergangenheit abgeschlossene Handlung*, die in keiner Verbindung zur Gegenwart steht. Im Deutschen gebraucht man hier meist das Perfekt. Adverbiale Ausdrücke, die in die Vergangenheit weisen *(yesterday, last year, last week, last month, a week ago, a month ago* u. a.*)* weisen darauf hin, daß das Präteritum zu verwenden ist.

I'm sorry you'*ve been* bothered.	*Es tut mir leid, daß man Sie belästigt hat. (Die Tatsache der Belästigung liegt in der Vergangenheit, die Wirkung: es tut mir leid – in der Gegenwart.)*

51

Have you *seen* him before?	*Haben Sie ihn schon einmal ge-*
	sehen (so daß Sie ihn jetzt wie-
	dererkennen)?
I *haven't seen* many rich authors recently.	*Ich habe in letzter Zeit nicht viele reiche Autoren gesehen. (in letzter Zeit = bis in die Gegenwart hinein.)*
I've *warned* you	*Ich habe Sie gewarnt (jetzt wis-sen Sie also Bescheid).*
I've *written* a book.	*Ich habe ein Buch geschrieben (hier ist es).*
Haven't you *done* anything else since then?	*Haben Sie seitdem (bis jetzt) nichts anderes getan?*
How *have* you *managed* to live?	*Aber wovon haben Sie gelebt?*
If this book is published I can say it *has been* worth it.	*Wenn dieses Buch veröffentlicht wird, kann ich sagen, es hat sich gelohnt.*
What do you think now that you've *had* a chance to look it over?	*Was meinen Sie jetzt, nachdem Sie Gelegenheit gehabt haben, es sich anzusehen?*
I've *hoped* for so long – and now!	*Ich habe so lange gehofft – und jetzt!*

Das *Perfekt* bezeichnet *Handlungen in der Vergangenheit*, die noch *in* irgendeiner *Beziehung zur Gegenwart* stehen. Diese Handlungen haben in der Vergangenheit begonnen und reichen bis in die Gegenwart hinein, oder sie wirken sich in der Gegenwart aus. Auch für die Verwendung des Perfekts geben adverbielle Bestimmungen Hinweise. Es steht nach Zeitbestimmungen wie *already*, *yet*, *just*, *this week*, *this month*, *this year* u. a., die sich auf Zeiträume beziehen, die noch nicht vorüber sind.

| How long *have* you *been* in London? | *Wie lange bist du schon in London?* |
| I *have been* in London for six weeks. | *Ich bin (schon) sechs Wochen lang in London.* |

Gelegentlich ist auch die *Wiedergabe des englischen Perfekts durch das deutsche Präsens* erforderlich. *I have been in London* bedeutet: ich kam irgendwann in der Vergangenheit an und bin jetzt immer noch hier.

Die englische Übersetzung für „Wie lange bist du in London gewesen?" müßte lauten: *How long were you in London?*, da es sich dabei um einen abgeschlossenen Vorgang handelt, der im Englischen das Präteritum erfordert.

9th Lesson

Walter ist inzwischen ins Büro zurückgekehrt und ziemlich entsetzt über das, was Connie getan hat.

Walter: Connie!

Connie!

Connie: Walter, just let me explain ...

Walter, laß mich doch erklären ...

W.: A strange young man walks in here holding a manuscript – and you buy it! Have you thought what Mr. Henderson might say?

Ein fremder junger Mann spaziert hier mit einem Manuskript in der Hand herein – und du kaufst es! Hast du daran gedacht, was Mr. Henderson dazu sagen könnte?

C.: But Walter – have you looked at the manuscript? Properly?

Aber Walter – hast du dir denn das Manuskript schon angesehen? Genau?

W.: No. It isn't even typed! It's handwritten – and in pencil! Doesn't he know how to present a script to a publisher?

Nein. Es ist noch nicht einmal mit der Maschine geschrieben! Es ist mit der Hand und auch noch mit Bleistift geschrieben! Weiß er denn nicht, wie man einem Verleger ein Manuskript vorlegt?

C.: He's very poor – he can't even afford to buy a pen and ink, let alone a typewriter.

Er ist sehr arm – er kann es sich nicht einmal leisten, Feder und Tinte zu kaufen, schon gar nicht eine Schreibmaschine.

W.: Ah! Now I see how he persuaded you! He pretended to be a poor starving artist! And you believed him!

Aha! Jetzt sehe ich, wie er dich überredet hat. Er hat so getan, als sei er ein armer, hungernder Künstler! Und du hast ihm geglaubt!

C.: He was a very nice young man.

Es war ein sehr netter junger Mann.

W.: And he had such a sad look on his face ...

Und er hatte einen so traurigen Gesichtsausdruck ...

C.: He spoke very well – he was sincere. And handsome!

Er sprach sehr gut – er war aufrichtig. Und stattlich!

W.: I've told you time and again – there is no substitute for talent! Perhaps he is poor

Ich habe dir immer wieder gesagt – nichts ersetzt das Talent! Vielleicht ist er arm und gut-

and handsome, and sad – but I want to know if he can write!

aussehend und traurig – aber ich möchte wissen, ob er schreiben kann!

C.: I'm sure he can – he said so.

Bestimmt kann er das – er hat es selbst gesagt.

W.: And you believed him? Why?

Und du hast ihm geglaubt? Warum?

C.: Because he had sad eyes!

Weil er so traurige Augen hatte!

W.: Oh, Connie!

O, Connie!

C.: Walter – you know I'm often right about these things. I think Joe Reed is going to be a successful novelist.

Walter – du weißt, ich habe oft recht in solchen Dingen. Ich denke, Joe Reed ist auf dem Wege, ein erfolgreicher Romanschriftsteller zu werden.

W.: Because he has sad eyes?

Weil er traurige Augen hat?

C.: Because I know!

Weil ich das weiß!

W.: What nonsense!

Was für ein Unsinn!

C.: But you haven't even looked carefully at his manuscript.

Aber du hast dir ja noch nicht einmal sein Manuskript ordentlich angesehen.

W.: I can tell from its appearance – look at it! Crumpled, dirty and handwritten. It isn't good enough!

Das kann ich schon nach dem Aussehen beurteilen – sieh dir's nur an! Zerknittert, schmutzig und mit der Hand geschrieben. Es ist einfach nicht gut genug!

C.: But what about the words? Have you looked at what he has written?

Aber wie steht's mit dem Text? Hast du dir angesehen, was er geschrieben hat?

W.: You know I haven't, but I'm going to now.

Du weißt doch, daß ich es nicht getan habe, aber das werde ich jetzt tun.

C.: And I'm just going to sit here and watch you do it!

Und ich werde mich hier hinsetzen und dir dabei zusehen!

Nach einer längeren Pause:

W.: This is marvellous!

Das ist fabelhaft!

C.: Really? Oh, I knew it!

Wirklich? O, ich habe es ja gewußt!

W.: This writer has enormous talent – and this is only his first book!

Dieser Schriftsteller hat ein außergewöhnliches Talent – und dies ist erst sein erstes Buch!

C.: Well, Walter? What do you say?

Nun, Walter, was sagst du dazu?

W.: Connie, I apologize – you were right. Have you prepared a contract? When is he coming to sign it?

Connie, ich bitte um Entschuldigung – du hast recht gehabt. Hast du einen Vertrag vorbereitet? Wann kommt er, um ihn zu unterschreiben?

C.: Don't worry, Walter – it's all arranged. Joe Reed is coming back tomorrow to sign the contract and accept our cheque on his advance payments.

Keine Sorge, Walter – es ist alles erledigt. Joe Reed kommt morgen wieder, um den Vertrag zu unterschreiben und unsern Scheck über die Vorschußzahlungen anzunehmen.

W.: Connie – you think of everything.

Connie – du denkst an alles!

C.: I'll get the papers now, so that you can sign them.

Ich hole jetzt die Papiere, damit du sie unterschreiben kannst.

W.: You've made a wonderful discovery and you've found time to prepare all the papers – we must celebrate! Come on!

Du hast eine großartige Entdeckung gemacht und Zeit gefunden, alle Papiere vorzubereiten – das müssen wir feiern! Komm!

Words and Phrases

strange [ßtreindʒ]	*fremd; seltsam*
walk [ωōk]	*(zu Fuß) / (spazieren)gehen*
hold [hould], held, held [held]	*(in der Hand) halten*
even [i'wᵉn]	*sogar*
not even	*(sogar) nicht einmal*
type [taip]	*mit der Maschine schreiben*
handwritten [hä'ndritn]	*handgeschrieben, handschriftlich*
in pencil [pᵉ'nßl]	*mit Bleistift*
present [prise'nt]	*überreichen, vorlegen*
script = manuscript	
afford [ᵉfō'd]	*sich leisten*
let alone [ᵉlou'n]	*geschweige denn, schon gar nicht*
typewriter [tai'praitᵉ]	*Schreibmaschine*
persuade [pᵉßωei'd]	*überreden*
pretend [prite'nd]	*vorgeben, -täuschen*
starve [ßtāw]	*(ver)hungern*
artist [ā'tißt]	*Künstler*
a sad look on someone's face	*ein trauriger Gesichtsausdruck*
handsome [hä'nßᵉm]	*hübsch, stattlich, ansehnlich*
time and again	*immer wieder*
substitute [ßa'bßtitjūt]	*Ersatz*
talent [tä'lᵉnt]	*Talent*
be right about	*recht haben in / bei*
novelist [no'wᵉlißt]	*Romanschriftsteller*
nonsense [no'nßᵉnß]	*Unsinn*
tell from	*urteilen nach*
appearance [ᵉpi'ᵉrᵉnß]	*Aussehen*
crumple [kra'mpl]	*zerknittern*
what about?	*wie steht es / was ist mit?*

55

marvellous [mä′wil^eß]	*wunderbar, fabelhaft*	accept [^ekße′pt]	*an-, entgegennehmen*
enormous [inō′m^eß]	*enorm, außergewöhnlich*	payment [pei′m^ent]	*Zahlung*
prepare [pripä′^e]	*(sich) vorbereiten*	discovery [dißka′w^eri]	*Entdeckung*
sign [ßain]	*unterzeichnen, -schreiben*	celebrate [ße′libreit]	*feiern, festlich begehen*

Explanations

"how to", "what to"

Walter likes books on *how to* play golf.	*Walter liest gern Bücher darüber, wie man Golf spielt.*
Do you know *how to* find a house?	*Wissen Sie, wie man ein Haus finden kann?*
Mr. Henderson knew *how to* help them.	*Mr. Henderson wußte, wie er ihnen helfen konnte.*
Connie told Walter *how to* arrange the furniture.	*Connie sagte Walter, wie er die Möbel aufstellen sollte.*
Doesn't he know *how to* present a manuscript?	*Weiß er nicht, wie man ein Manuskript vorlegt?*
Walter did not know *what to* do.	*Walter wußte nicht, was er tun sollte.*
He asked Connie *what to* do.	*Er fragte Connie, was zu tun sei.*

Zur Verkürzung eines Nebensatzes wie „. . . wie man (etwas) tut (tun soll / kann)" oder „. . . was man tun soll / kann" steht im Englischen häufig *how* / *what to* mit dem *Infinitiv*.

Weitere Beispiele für die Anwendung des englischen Perfekts:

Have you *thought* what Mr. Henderson might say?

Have you *looked* at the manuscript?

But you *haven't looked* carefully!

I'*ve told* you time and again.

Have you *prepared* a contract?

You'*ve made* a wonderful discovery and you'*ve found* time to prepare all the papers.

und des englischen Präteritums:

He *pretended* to be a poor starving artist.

You *believed* him.

He *was* a very nice young man.

He *had* such a sad look on his face.

He *spoke* very well.

(vgl. 8th Lesson.)

10th Lesson

Walter und Connie sind übers Wochenende auf dem Lande gewesen, und Walter kommt erst am Montagnachmittag ins Büro, nachdem er seine Frau zu Hause abgesetzt und seine Aktentasche von dort mitgenommen hat.

Walter: Good afternoon, Sally. Nobody asked for me this morning, did they?

Guten Tag, Sally. Es hat wohl heute morgen niemand nach mir gefragt?

Sally: No, they didn't. But there are several letters to be answered.

Nein. Aber es sind mehrere Briefe zu beantworten.

W.: There's something I must do first. Now what was it I had to remember?

Zuerst muß ich noch etwas anderes tun. Was war's denn nur, woran ich denken sollte?

S.: Do you need to see Mr. Catchpole about anything?

Müssen Sie irgend etwas mit Mr. Catchpole besprechen?

W.: No ... I know! I've just remembered. The manuscript!

Nein ... ich weiß! Gerade ist es mir eingefallen! Das Manuskript!

S.: Which one do you mean?

Welches meinen Sie?

W.: Joe Reed's novel – I've brought it for you to type.

Joe Reeds Roman – ich habe es mitgebracht, damit Sie es abschreiben.

S.: Have you? You didn't bring it in with you.

So? Sie haben es aber nicht mit hereingebracht.

W.: Didn't I bring my briefcase up from the car? How silly of me!

Habe ich denn meine Aktentasche nicht aus dem Auto mit 'raufgebracht? Wie dumm von mir!

S.: If you give me the keys, I'll go and fetch it for you.

Wenn Sie mir die Schlüssel geben, gehe ich sie Ihnen holen.

W.: That's very kind of you, Sally – I put it on the back seat – you can't miss it.

Das ist sehr freundlich von Ihnen, Sally – ich habe sie auf den Rücksitz gelegt, Sie finden sie bestimmt.

S.: I won't be long.

Ich bin gleich wieder da.

W.: Thanks.

Danke.

Mr. Catchpole kommt herein.

W.: Oh – good afternoon, Mr. Catchpole.

Ah, guten Tag, Mr. Catchpole.

Catchpole: Good afternoon, sir. I have these proofs – I think you ought to see them. I have corrected them, of course.	*Guten Tag, Sir, ich habe hier die Fahnen – ich denke, Sie sollten sie sehen. Ich habe sie natürlich schon korrigiert.*
W.: Have you? In that case, I'm sure they're perfectly satisfactory.	*So? Dann sind sie bestimmt vollkommen in Ordnung.*
Ca.: Nevertheless, sir – if you could look over them . . .	*Trotzdem, Sir – wenn Sie sie sich einmal ansehen könnten . . .*
W.: Very well, Mr. Catchpole. Anything else?	*Gut, Mr. Catchpole. Sonst noch etwas?*
Ca.: Here are the estimates from the printers for hardcover reprints of the books you were interested in.	*Hier sind die Voranschläge des Druckers für die gebundene Neuauflage der Bücher, an denen Sie interessiert waren.*
W.: Oh, yes, I must study those well. I've been thinking . . . there's a market for them, you know, if they aren't too expensive.	*O ja, die muß ich mir genau ansehen. Ich hab' schon überlegt . . . dafür besteht Nachfrage, wie Sie wissen, wenn sie nicht zu teuer sind.*
Ca.: You aren't thinking of paperbacks, I hope, sir? That would be terrible!	*Sie denken doch hoffentlich nicht an Taschenbücher, Sir? Das wäre schrecklich!*
W.: Oh, no, these books are far too good for paperbacks.	*O nein, diese Bücher sind viel zu gut für Taschenbücher.*
Ca.: I'm very glad, sir.	*Da bin ich sehr froh, Sir.*
S.: Mr. Jones – something terrible has happened!	*Mr. Jones – etwas Schreckliches ist passiert!*
W.: What is it?	*Was denn?*
Ca.: Calm down, my girl, and tell us sensibly.	*Beruhigen Sie sich, mein Mädchen, und erzählen Sie uns vernünftig.*

S.:	The briefcase – it isn't there!	*Die Aktentasche – sie ist nicht da!*
W.:	Oh – don't say I forgot it! How stupid!	*O – sagen Sie nur nicht, ich habe sie vergessen! Wie dumm!*
S.:	No – I don't mean that, Mr. Jones. I mean someone's (someone has) broken into the car and stolen the briefcase!	*Nein, das meine ich nicht, Mr. Jones. Ich meine, jemand hat das Auto aufgebrochen und die Aktentasche gestohlen!*
W.:	Oh, no! The manuscript – Joe Reed's novel! The only copy! What shall I do?	*O, nein! Das Manuskript – Joe Reeds Roman! Das einzige Exemplar! Was soll ich tun?*
Ca.:	You must telephone the Police.	*Sie müssen die Polizei anrufen!*
S.:	I'll do it straight away.	*Das will ich gleich tun.*
W.:	No, I'll do it. I can describe the briefcase to them, in detail. But what shall I tell Connie?	*Nein, das mache ich schon. Ich kann ihnen die Aktentasche näher beschreiben. Aber was soll ich Connie sagen?*

Words and Phrases

several [ße'wrel]	mehrere, verschiedene
briefcase [brī'fkeiß]	Aktentasche
fetch [fetsch]	holen
seat [ßit]	Sitz
back seat	Rücksitz
miss [miß]	verfehlen, -säumen; fehlgehen
I won't be long	ich bin nicht lange fort / gleich wieder da
proof [prūf]	(Korrektur-) Fahne
correct [kere'kt]	korrigieren
case [keiß]	Fall
perfect [pŏ'fikt]	vollkommen, vollendet
satisfactory [ßätißfä'kteri]	befriedigend, zufriedenstellend
nevertheless [neweŏele'ß]	trotzdem, dennoch
estimate [e'ßtimit]	(Ein)Schätzung, (Kosten) Voranschlag

printer [pri'nte]	Drucker
hardcover [hä'dkawe]	(fest) gebunden (Buch)
reprint [rī'pri'nt]	Nachdruck, Neuauflage
study [ßta'di]	studieren, genau prüfen
market [mä'kit]	Markt
there is a market for	es besteht Nachfrage nach
expensive [ikßpe'nßiw]	teuer, kostspielig
paperback [pei'pebäk]	Taschenbuch
sensible [ße'nßebl]	vernünftig
forget [fege't], forgot [fego't], forgotten [fego'tn]	vergessen
stupid [ßtjū'pid]	dumm
break [breik] (into), broke [brouk], broken [brou'ken]	(ein)brechen (in)

59

steal [ʃtīl],	stehlen	describe	beschreiben
stole [ʃtoul],		[diʃkrai'b]	
stolen		in detail	im einzelnen
[ʃtou'lᵉn]		[dī'teil]	

Explanations

Wiederholung und Ergänzung

Das Stützwort in Verbindung mit "some" und "any"

(vgl. 1st und 2nd Lesson)

Which one do you mean?	*Welches (Manuskript) meinen Sie?*
Someone has stolen the manuscript.	*Irgend jemand hat das Manuskript gestohlen.*
Has *anyone* seen the manuscript?	*Hat irgend jemand das Manuskript gesehen?*

"*One*" tritt als *Stützwort* auch *in Verbindung mit Pronomen* auf, wenn kein Substantiv mit dem Pronomen verbunden ist.

Somebody has stolen the manuscript.	*Irgend jemand hat das Manuskript gestohlen.*
Has *anybody* seen it?	*Hat es irgend jemand gesehen?*
There's *something* I must do first.	*Da ist etwas, was ich zuerst tun muß.*
Do you need to see Mr. Catchpole about *anything?*	*Müssen Sie irgend etwas mit Mr. Catchpole besprechen?*
Something terrible has happened.	*Etwas Schreckliches ist passiert.*

In Verbindung *mit some* und *any* wird *bei Personen auch -body, bei Sachen -thing* als Stützwort verwendet. (*terrible* ist nicht Substantiv, sondern nachgestelltes Adjektiv.)

Have you a book I could read?	*Hast du ein Buch, das ich lesen könnte?*
Yes, I have *one.*	*Ja, ich habe eins.*
Have you *any* books?	*Hast du (irgendwelche) Bücher?*
Yes, I have *some.* / No, I haven't *any.*	*Ja, ich habe welche. / Nein, ich habe keine.*
Can I have *some* tea?	*Kann ich etwas Tee bekommen?*
No, there isn't *any.*	*Nein, es ist keiner da.*

Im *Plural* und bei *Stoffbezeichnungen* stehen *some* und *any ohne Stützwort.*

Gebrauch des Präteritums und des Perfekts

(vgl. 8th Lesson)

Good afternoon, Sally. Nobody *asked* for me this morning, *did* they?

Im zweiten Satz wäre nach der Regel das Perfekt zu erwarten, da *this morning* auf die Gegenwart hinweist. Da jedoch am Nachmittag gefragt wird *(good afternoon)*, was morgens *(this morning)* geschah, empfindet hier der Sprechende den Morgen schon als Vergangenheit, die abgeschlossen ist. Daher steht hier das Präteritum.

11ᵗʰ Lesson

Walter hat die Polizei angerufen, weil ihm die Aktentasche aus dem Wagen gestohlen worden ist.

Sally: Mr. Jones – the policeman is here.
Mr. Jones, der Polizist ist da.

Walter: Is he? That was quick! Ask him to come in here.
Wirklich? Das ging aber schnell! Bitten Sie ihn hereinzukommen.

S.: Please come in.
Bitte, treten Sie näher.

Biggs: Thank you, miss. Good afternoon, sir. Sergeant Biggs.
Danke, Fräulein. Guten Tag, Sir. Wachtmeister Biggs.

W.: It's good of you to come so quickly.
Das ist freundlich von Ihnen, so schnell zu kommen.

B.: Not at all, sir. Now, you reported the loss of a valuable manuscript from your car.
Ich bitte sehr. Sie haben also den Verlust eines wertvollen Manuskripts angezeigt, aus Ihrem Wagen.

W.: That's right. It was inside my briefcase. And it's very important to recover.
Das stimmt. Es war in meiner Aktentasche. Und es ist sehr wichtig, es wiederzubekommen.

B.: The car was locked, wasn't it, sir?
Der Wagen war doch verschlossen, nicht?

W.: Er . . . yes, I think so. Yes, it was.
Äh . . . ja, ich glaube. Ja.

B.: But you left the briefcase – a rather expensive-looking briefcase – lying on the back seat.
Aber Sie haben die Aktentasche – eine recht teuer aussehende Aktentasche – auf dem Rücksitz liegenlassen.

W.: Yes . . . , that's right.
Ja . . . , das stimmt.

B.: That was a temptation, wasn't it, sir? Anybody seeing it would think it worth stealing, wouldn't they?
Das war doch wohl verlockend, nicht, Sir? Jeder, der sie dort liegen sah, würde es für lohnend halten, sie zu stehlen, nicht wahr?

W.: Only a criminal, surely?
Doch bestimmt nur ein Verbrecher.

B.: A criminal will take what he can see is valuable, if he thinks he can get away with it, sir. By leaving it in full
Ein Verbrecher nimmt, was er an Wertvollem sieht, wenn er glaubt, er kann damit entkommen, Sir. Indem Sie sie dort gut

view on the seat, you were helping him.	*sichtbar auf dem Sitz liegen lie-ßen, haben Sie ihm geholfen.*
W.: But the car was locked!	*Aber der Wagen war verschlos-sen!*
B.: But you left it in a lonely car park! And in fact, the constable on duty reports that the window was slightly open.	*Aber Sie haben ihn auf einem abgelegenen Parkplatz abge-stellt! Und obendrein hat der diensthabende Polizist gemeldet, daß das Fenster ein wenig offen-stand.*
W.: Oh . . .	*O . . .*
B.: Carelessness, sir. If you were so careless, sir, you've only yourself to blame, haven't you?	*Nachlässigkeit, Sir. Wenn Sie so unvorsichtig waren, haben Sie es sich selber zuzuschreiben, nicht?*

W.: Yes – I suppose I have. But is there any chance of get-ting it back?	*Ja, ich denke schon. Aber gibt es denn irgendeine Aussicht, sie wiederzubekommen?*

B.:	Ah, now that's a different matter. A very uncertain matter, I'm afraid.	*Tja, das ist nun wieder was anderes. Ich fürchte, das ist sehr ungewiß.*
W.:	But the contents of the brief-case – the manuscript – it's vitally important! I must have that back!	*Aber der Inhalt der Aktentasche – das Manuskript – das ist äußerst wichtig! Das muß ich wiederhaben!*
B.:	I don't want to sound pessimistic, sir, but I think it extremely unlikely. Of course, we'll pursue our enquiries.	*Ich möchte nicht pessimistisch erscheinen, doch ich halte es für sehr unwahrscheinlich. Natürlich setzen wir unsere Ermittlungen fort.*
W.:	Thank you. I do hope you find it – you'll do what you can, won't you?	*Vielen Dank. Hoffentlich finden Sie sie – Sie werden doch alles tun, was Sie können, nicht?*
B.:	Yes, we will. We'll keep in touch, sir. Good day, sir.	*Ja. Wir bleiben mit Ihnen in Verbindung. Guten Tag, Sir.*
W.:	Goodbye, Inspector. – Oh, dear, what can I tell Connie? It's almost as though it was her manuscript! Oh, well, I must go home and tell her, I suppose. Even though the truth isn't going to be very pleasant . . .	*Auf Wiedersehen, Herr Wachtmeister. – O je, was kann ich nur Connie sagen? Es ist fast, als sei es ihr Manuskript! Ach ja, ich glaube, ich muß nach Hause gehen und es ihr erzählen. Auch wenn die Wahrheit nicht sehr angenehm ist.*

Walter kommt nach Hause.

Connie:	Walter, you're home early, aren't you?	*Du kommst heute früh nach Hause, Walter, nicht?*
W.:	Yes, Connie.	*Ja, Connie.*
C.:	And I have some bad news for you. You are a very wicked person, aren't you?	*Und ich habe eine schlechte Nachricht für dich. Du bist doch ein ganz Schlimmer.*
W.:	Oh, Connie, you know!	*Ach, Connie, du weißt es also!*
C.:	You're so forgetful, that's your trouble. But I forgive you.	*Du bist so vergeßlich, das ist der Kummer mit dir. Aber ich verzeihe dir.*
W.:	You can't forgive me, can you?	*Du kannst mir nicht verzeihen, oder doch?*
C.:	Yes, I can. But you mustn't ever do such a thing again!	*Doch, ich kann. Aber du darfst so etwas nie wieder tun!*
W.:	Oh, I won't – ever.	*O nein, niemals.*
C.:	And tomorrow morning,	*Und morgen früh werde ich da-*

I'll make sure you take the manuscript by putting it in your briefcase myself.	*für sorgen, daß du das Manuskript mitnimmst, und werde es selber in deine Aktentasche legen.*
W.: What? Do you mean to say that the manuscript wasn't in the briefcase after all? I didn't leave it at home, did I?	*Was? Willst du damit sagen, daß das Manuskript überhaupt nicht in der Aktentasche war? Ich habe es doch nicht etwa zu Hause gelassen?*
C.: Yes, you did, and I was very cross. After all – it does belong to my own author – it's very special.	*Doch, das hast du, und ich war sehr böse. Schließlich gehört es meinem eigenen Autor und ist etwas ganz Besonderes.*
W.: Connie – I thought I had lost it! Someone broke into the car and stole the briefcase – and I thought the manuscript was inside it!	*Connie – ich habe gedacht, ich hätte es verloren! Jemand ist ins Auto eingebrochen und hat die Aktentasche gestohlen – und ich glaubte, das Manuskript wäre da drin!*
C.: Oh – Walter! What a lucky escape!	*O – Walter! Da bist du aber glücklich davongekommen!*
W.: I'm so relieved!	*Ich bin ja so erleichtert!*
C.: So am I! It looks as if there are advantages in being forgetful – sometimes!	*Ich auch! Es sieht so aus, als sei es manchmal vorteilhaft, vergeßlich zu sein.*

Words and Phrases

that was quick	*das ging aber schnell*	in full view [wjū]	*voll sichtbar*
sergeant [ßā'dG^ent]	*(Polizei-) Wachtmeister*	lonely [lou'nli]	*einsam, abgelegen*
Biggs [bigs]	*Familienname*	car park [kā' pāk]	*Parkplatz*
report [ripō't]	*berichten, melden, anzeigen*	in fact	*tatsächlich; hier: obendrein*
loss [lōß]	*Verlust*		
valuable [wä'lju^ebl]	*wertvoll*	constable [ka'nßt^ebl]	*Polizist*
recover [rika'w^e]	*wiederfinden, -bekommen*	duty [djū'ti]	*Pflicht, Amt, Dienst*
lock [lok]	*verschließen*	on duty	*im Amt, im Dienst, diensthabend*
temptation [temptei'sch^en]	*Versuchung, Verlockung*		
think it worth stealing	*es für lohnend halten, es zu stehlen*	slightly [ßlai'tli]	*leicht, ein wenig*

65

carelessness [kä´ᵉlißniß]	Nachlässigkeit, Unvorsichtigkeit	touch [tatsch] keep in touch	Berührung in Verbindung bleiben
careless [kä´liß]	nachlässig, unvorsichtig	keep [kīp], kept, kept [kept]	(be)halten, aufrechterhalten
blame [bleim] (oneself)	(sich) tadeln, (sich) Vorwürfe machen	almost [ō´lmoußt]	fast, beinahe
that is a different matter	das ist etwas anderes	(as) though [ðou]	(als) ob, (wie) wenn
(un)certain [(an)ß´tn]	(un)sicher, (un)gewiß, (un)bestimmt	go home [houm]	nach Hause gehen
contents (Plur.) [ko´ntentß]	Inhalt	be home	zu Hause sein
vital [wai´tl]	lebenswichtig	wicked [ωi´kid] forgetful [fᵉge´tful]	böse, schlimm vergeßlich
pessimistic [peßimi´ßtik]	pessimistisch	trouble [tra´bl]	Kummer, Verdruß
extreme [ikßtrī´m]	äußerst, höchst	cross [kroß] (with)	ärgerlich / böse (auf)
(un)likely [(an)lai´kli]	(un)wahrscheinlich	escape [ißkei´p]	Entrinnen, Entkommen; entrinnen, entkommen
pursue [pᵉßjū´]	weiterführen, fortsetzen		
enquiry [inkωai´ᵉri]	(Nach)Forschung, Ermittlung	relieve [rilī´w] advantage [ᵉdwā´ntidQ]	erleichtern Vorteil

Explanations

„Nicht wahr?"

The car *wasn't* locked, *was* it?
You *have* only yourself to blame, *have* you?
You *are* home early, *aren't* you?
Anybody *would* think it, *wouldn't* they?
You*'ll* do what you can, *won't* you?

You *can't* forgive me, *can* you?
I *didn't* leave it at home, *did* I?
The truth *isn't* pleasant, *is* it?
He *wasn't* here, *was* he?
She *cannot* come, *can* she?

Das deutsche „*nicht wahr?*", das eine Vermutung ausdrückt oder auf eine Bestätigung abzielt, wird im Englischen durch eine *Wiederholung des Hilfsverbs* ausgedrückt, und zwar *bejahend, wenn* die *Vermutung* im vorausgehenden Satz *verneint* ist; *verneinend, wenn* die *Vermutung* im vorausgehenden Satz *bejaht* ist.

Connie, you *know, don't* you?
He *spoke* well, *didn't* he?

She *arrived* yesterday, *didn't* she?
He *wrote* a novel, *didn't* he?

Ist im Satz nur ein *Hauptverb* vorhanden, so wird dieses durch *to do* wieder aufgenommen.

Anybody would think so, wouldn't *they?*

Das unpersönliche *anybody* = „jeder beliebige" wird im Frageanhängsel *wouldn't they* in der Pluralform wieder aufgenommen, da es sich um eine oder mehrere männliche oder weibliche Personen handeln kann.

12th Lesson

In Walters Büro.

Walter: Sally, – has Mr. Lightfoot come yet?

Sally, ist Mr. Lightfoot schon gekommen?

Sally: Mr. Lightfoot?

Mr. Lightfoot?

W.: The author who is writing a book on prison life. He was supposed to be here at ten-thirty – it's eleven-fifteen now.

Der Autor, der ein Buch über das Leben im Gefängnis schreibt. Er sollte um halb elf hier sein – jetzt ist es Viertel zwölf.

S.: You mean the man who has written the story of his own life in prison? The man who stole things by climbing into high windows – what's it called – the cat-burglar?

Sie meinen den Mann, der die Geschichte seines eigenen Lebens im Gefängnis geschrieben hat? Der Mann, der (Sachen) gestohlen hat, indem er in hochgelegene Fenster kletterte – wie heißt das doch – der Fassadenkletterer?

W.: Yes, the cat-burglar.

Ja, der Fassadenkletterer.

S.: I've never seen a criminal before.

Ich habe noch nie einen Verbrecher gesehen.

W.: He's not a criminal any longer.

Er ist kein Verbrecher mehr.

S.: He certainly hasn't arrived yet.

Er ist sicher noch nicht gekommen.

W.: Oh, it's very difficult, but I have to go out to see my solicitor, about the legal points involved in this book.

Ach, das ist sehr schwierig, aber ich muß jetzt zu meinem Rechtsanwalt gehen, wegen der Rechtsfragen, die mit dem Buch zusammenhängen.

S.: Do you think he is still likely to come?

Halten Sie es noch für wahrscheinlich, daß er kommt?

W.: I think so. You must tell him to wait for me. I won't be long.

Ich denke ja. Sie müssen ihm sagen, daß er auf mich warten soll. Ich bin gleich zurück.

S.: Certainly, Mr. Jones. Goodbye.

Gewiß, Mr. Jones. Auf Wiedersehen.

Nachdem Walter gegangen ist:

While Mr. Jones is away, I must put these files in their proper place.

Während Mr. Jones fort ist, muß ich diese Akten richtig ablegen.

This belongs under novels ... this must go into the pending tray ... and this – I'm not sure – advertising expenditure, I suppose.

Dies gehört unter Romane ... dies muß in den Korb für Unerledigtes ... und dies – ich weiß nicht recht – vermutlich Werbekosten.

Es klopft an der Tür.

Lightfoot: Hello! Is there anyone there?

Hallo! Ist da jemand?

S.: Yes. Can I help you?

Ja. Was kann ich für Sie tun?

L.: My name's Lightfoot – had an appointment earlier – a bit late – sorry. Where's Mr. Jones?

Mein Name ist Lightfoot – hatte eine Verabredung für etwas früher – ein bißchen verspätet – tut mir leid. Wo ist Mr. Jones?

S.: He had to go out, I'm afraid. He said he'd like you to wait.

Er mußte leider fortgehen. Er sagte, Sie möchten bitte warten.

L.: That's very awkward – and not very polite.

Das ist sehr unangenehm – und nicht sehr höflich.

S.: He had waited a long time for you, before he went out. You really should wait for him a little.

Er hatte lange auf Sie gewartet, ehe er fortging. Sie sollten wirklich ein wenig auf ihn warten.

L.:	All right. Just this once.	*Na gut, dies eine Mal.*
S.:	Thank you. You can wait in here.	*Danke sehr. Sie können hier drin warten.*
L.:	Thanks. This is your office. Very smart, isn't it?	*Danke. Dies ist also Ihr Büro. Sehr schick, nicht?*
S.:	I think so.	*Ich finde auch.*
L.:	Expensive equipment, too. This typewriter – electric, is it?	*Auch eine teure Einrichtung. Diese Schreibmaschine – elektrisch, nicht?*
S.:	Yes. Please don't touch it.	*Ja. Bitte fassen Sie sie nicht an.*
L.:	Don't worry – I won't. Mind if I smoke?	*Keine Angst – werde ich schon nicht. Was dagegen, wenn ich rauche?*
S.:	No, I don't mind. You must excuse me for a few minutes – I have to take these files down to the Chief Clerk.	*Nein, das macht mir nichts aus. Sie müssen mich einen Augenblick entschuldigen – ich muß diese Akten zum Bürochef hinunterbringen.*
L.:	Not at all, miss – I'm all right here. You carry on.	*Aber bitte, Fräulein – ich bin hier gut aufgehoben. Machen Sie nur weiter.*
S.:	I won't be long . . .	*Ich bin gleich wieder da. . .*

Nachdem sie aus dem Zimmer gegangen ist:

L.:	Now I wonder how long she's going to be? If I slip away now . . .	*Jetzt möchte ich wissen, wie lange sie weg sein wird. Wenn ich jetzt abhaue . . .*

Im Büro von Mr. Catchpole.

S.:	Here are the files, Mr. Catchpole. Have you got the estimates for Mr. Jones?	*Hier sind die Akten, Mr. Catchpole. Haben Sie schon die Voranschläge für Mr. Jones?*
Catchpole:	Yes, they're here. I had only just finished them when you came in.	*Ja, hier sind sie. Ich war gerade erst damit fertig geworden, als Sie hereinkamen.*
S.:	Good – I've got to rush back.	*Gut – ich muß schnell wieder zurück.*
Ca.:	What's the hurry?	*Warum so eilig?*
S.:	There's an author waiting to see Mr. Jones in my office.	*Da wartet ein Autor in meinem Büro, der Mr. Jones sprechen möchte.*

Ca.: What's the matter – don't you trust him to be alone?

Was ist denn los – trauen Sie ihm nicht, wenn er allein ist?

S.: Not exactly – you see, he's (he has) only just come out of prison, and has written a book on the subject.

Nicht ganz – er ist nämlich gerade aus dem Gefängnis gekommen und hat ein Buch über das Thema geschrieben.

Ca.: A criminal! You must go back quickly – quickly! You don't know what he might be doing!

Ein Verbrecher! Sie müssen schnell wieder hingehen – ganz schnell! Sie wissen nicht, was er inzwischen anstellen mag!

S.: But Mr. Catchpole – he doesn't look wicked.

Aber Mr. Catchpole – er sieht nicht böse aus.

Ca.: Nonsense, girl! Go quickly, now – you don't know what he might have taken! And you are responsible!

Unsinn, Mädchen! Gehen Sie jetzt schnell — Sie wissen nicht, was er vielleicht schon gestohlen hat! Und Sie sind verantwortlich!

Words and Phrases

Lightfoot [lai'tfut]	*Familienname*	tray [trei]	*Ablagekorb*
prison [pri'sn]	*Gefängnis*	expenditure [ikßpe'nditsch^e]	*Kosten, Ausgaben*
he is supposed to be	*es wird vermutet, daß er; er soll (angeblich)*	advertising expenditure	*Werbekosten*
story [ßtŏ'ri]	*Geschichte*	awkward [ŏ'kωed]	*peinlich, unangenehm; ungeschickt*
cat-burglar [kä'tbŏ'gl^e]	*Fassadenkletterer*		
never before	*(bisher) noch nie*	polite [p^{e}lai't]	*höflich*
not any longer	*nicht mehr*	smart [ßmät]	*schick, flott*
solicitor [ß^{e}li'ßit^e]	*Rechtsanwalt*	electric [ile'ktrik]	*elektrisch*
legal [lĭ'g^{e}l]	*rechtlich, Rechts...*	touch [tatsch]	*berühren*
		carry on [kä'ri]	*weitermachen, fortfahren (mit)*
point [point]	*Punkt, Frage, Sache*	wonder [ωa'nd^e]	*sich fragen, wissen mögen*
involve [inwo'lw]	*verwickeln; betreffen; einbeziehen; zusammenhängen*	slip [ßlip] away	*entwischen, abhauen*
		finish [fi'nisch]	*beenden, fertig machen*
file [fail]	*Akte(nstück)*	rush [rasch]	*stürzen, eilen*
put files in their proper place	*Akten (richtig) ablegen*	hurry [ha'ri]	*Eile*
		what's the hurry?	*warum die Eile?*
pending [pe'nding]	*schwebend, (noch) nicht erledigt*	subject [ßa'bdQikt]	*Thema, Gegenstand*
		responsible [rißpo'nß^{e}bl]	*verantwortlich*

Explanations

Gebrauch des Plusquamperfekts

Sally *had taken* the files. (1)   *Sally hatte die Akten genommen.*

Mr. Lightfoot *had been* a cat-burglar. (2)   *Mr. Lightfoot war Fassaden-kletterer gewesen.*

He *had waited* a long time for you, before he went out. (3)   *Er hatte lange auf Sie gewartet, bevor er fortging.*

I *had* only just *finished* them when you came in. (4)   *Ich war gerade erst damit fertig geworden, als Sie hereinkamen.*

Mr. Lightfoot arrived after Walter *had gone* out. (5)   *Mr. Lightfoot kam, nachdem Walter fortgegangen war.*

Das *Plusquamperfekt* drückt – wie im Deutschen – *Handlungen* aus, die *vor einem Zeitpunkt der Vergangenheit abgeschlossen* waren. (1,2)

Um auszudrücken, daß *eine Handlung* zu einem Zeitpunkt der Vergangenheit *abgeschlossen* war, als eine *andere Handlung einsetzte*, steht erstere im *Plusquamperfekt*, letztere im *Präteritum*. (3-5)

13th Lesson

Sally hat den erst kürzlich aus dem Gefängnis entlassenen Mr. Lightfoot in ihrem Büro ein paar Minuten allein gelassen.

Sally: Oh, Mr. Jones – I'd (I had) only gone out for a minute, and left him here, and when I came back, I discovered that he'd left – and my typewriter had gone, too!

O, Mr. Jones – ich war nur eine Minute lang 'rausgegangen und hatte ihn hier gelassen, und als ich wiederkam, merkte ich, daß er weggegangen war – und meine Schreibmaschine war auch weg!

Walter: This is very serious, Sally. Was he alone here long?

Das ist sehr schlimm, Sally. War er hier lange allein?

S.: Not for long. After I'd seen Mr. Catchpole, I hurried back, because he was worried.

Nicht lange. Nachdem ich mit Mr. Catchpole gesprochen hatte, lief ich zurück, weil er sich Sorgen machte.

W.: And no Mr. Lightfoot – and no typewriter . . .

Und kein Mr. Lightfoot – und keine Schreibmaschine . . .

S.: What can I do, Mr. Jones? I feel I'm responsible.

Was kann ich nur tun, Mr. Jones? Ich fühle mich verantwortlich dafür.

W.: It's not your fault, Sally – but I know what I must do: telephone the police.

Es ist nicht Ihre Schuld, Sally – aber ich weiß, was ich tun muß: die Polizei anrufen.

S.: Oh dear . . .

O je . . .

Mr. Lightfoot erscheint.

Oh, Mr. Lightfoot.

O, Mr. Lightfoot.

W.: What?

Was?

Lightfoot: That's a nice welcome, I must say.

Das ist ja eine nette Begrüßung, muß ich schon sagen.

W.: Where have you been – and where's my secretary's typewriter?

Wo sind Sie gewesen – und wo ist die Schreibmaschine meiner Sekretärin?

L.: I just went out to get some cigarettes, after your secretary had left me alone. No harm in that, surely?

Ich bin nur mal rausgegangen, um mir ein paar Zigaretten zu holen, nachdem Ihre Sekretärin mich allein gelassen hatte. Da ist doch nichts dabei?

W.: Mr. Lightfoot – I had just

Mr. Lightfoot, ich hatte gerade

	picked up the telephone, when you walked in. I intended to phone the police!	den Telefonhörer abgehoben, als Sie hereinkamen. Ich hatte vor, die Polizei anzurufen!
L.:	I'd (I had) rather you didn't mention them, please. Brings back too many bad memories.	Es wäre mir lieber, Sie erwähnten sie nicht, bitte. Bringt zu viele böse Erinnerungen zurück.
W.:	I want them to help bring back a certain typewriter!	Ich wollte sie bitten, eine gewisse Schreibmaschine zurückzubringen!
L.:	What do you mean – a certain typewriter? Have you lost one?	Was meinen Sie damit – eine gewisse Schreibmaschine? Haben Sie eine verloren?
S.:	We haven't lost it at all – someone's (someone has) stolen it!	Wir haben sie überhaupt nicht verloren – irgend jemand hat sie gestohlen!
L.:	Stolen? Oh ... I see. You suspect me. Did you really think I had taken the typewriter?	Gestohlen? O ... ich verstehe. Sie verdächtigen mich. Dachten Sie wirklich, ich hätte die Schreibmaschine genommen?
S.:	Why not? Nobody else did!	Warum nicht? Niemand sonst hat es getan!
L.:	Well, I didn't! If you think I did it, search me!	Nun, ich hab's nicht getan. Wenn Sie glauben, ich hätte es getan, durchsuchen Sie mich!
W.:	I doubt if you have it in one of your pockets, Mr. Lightfoot.	Ich bezweifle, daß Sie sie in einer Ihrer Taschen haben, Mr. Lightfoot.
L.:	But you still think I took it, you don't trust me.	Aber Sie glauben immer noch, daß ich sie genommen habe, Sie trauen mir nicht.
S.:	What do you expect? You are a criminal!	Was erwarten Sie denn? Sie sind doch ein Verbrecher!
L.:	Was a criminal, miss. The trouble is, no one believes I'm trying to be honest. You don't, do you?	War ein Verbrecher, Fräulein. Das Dumme ist, daß niemand glaubt, daß ich versuche, anständig zu sein. Sie doch auch nicht, oder?
S.:	No, I don't!	Nein!

Das Telefon klingelt.

W.:	Sally, please go through to your office and answer the	Sally, gehen Sie bitte 'rüber in Ihr Büro und nehmen Sie den

phone, while I talk to Mr. Lightfoot.	*Anruf an, während ich mit Mr. Lightfoot spreche.*
S.: Yes, Mr. Jones.	*Ja, Mr. Jones.*

Sie geht hinaus.

L.: Says what she thinks, that girl, doesn't she?	*Die sagt, was sie denkt, das Mädchen, nicht?*
W.: Yes. I'm sorry if what she said ...	*Ja. Es täte mir leid, wenn das, was sie gesagt hat ...*
L.: Oh, I don't blame her. Bound to suspect me in the circumstances. It's just that I didn't do it.	*O, ich mache ihr keine Vorwürfe. Muß mich ja verdächtigen unter diesen Umständen. Nur habe ich's eben nicht getan.*
W.: I'd like to believe you, but ...	*Ich möchte Ihnen gern glauben, nur ...*

Sally kommt zurück.

S.: Mr. Jones, I'm terribly sorry. I must apologize!	*Mr. Jones, es tut mir schrecklich leid. Ich muß mich entschuldigen.*
W.: Apologize? What for?	*Entschuldigen? Wofür?*
S.: That was the typewriter company, telephoning to say they have our typewriter in for repair. The men came and took it because we had asked them to call.	*Das war die Schreibmaschinenfirma, die anrief, um zu sagen, daß sie unsere Schreibmaschine zur Reparatur geholt haben. Die Männer kamen und holten sie, weil wir sie gebeten hatten, zu kommen.*
W.: But without warning us!	*Aber ohne uns etwas zu sagen!*
S.: They might have told us! I feel terribly ashamed, Mr. Lightfoot – suspecting you like that. How can I show you how sorry I am?	*Das hätten sie uns aber auch sagen können! Ich schäme mich ja so, Mr. Lightfoot – Sie so zu verdächtigen. Wie kann ich Ihnen nur zeigen, wie leid es mir tut?*
L.: Tell you what – a nice cup of tea. What about that?	*Ich werde Ihnen was sagen – eine gute Tasse Tee. Wie wär's damit?*
S.: Oh, you're so kind! I'll go and make it at once – it won't take long.	*O, Sie sind so freundlich. Ich gehe ihn gleich machen – es dauert nicht lange.*

Sie geht hinaus.

W.: I really am sorry about this, Mr. Lightfoot. I hope there's no ill feeling?	*Das tut mir wirklich leid, Mr. Lightfoot. Ich hoffe, es herrscht keine Mißstimmung?*

75

L.: Of course not. It was a natural mistake. She hadn't thought of the repair men calling, when she left me alone.

W.: Well, it'll be a long time before she makes that kind of mistake again.

L.: Oh – by the way . . . here's your desk lighter.

Natürlich nicht. Es war ein ganz natürlicher Irrtum. Sie hatte nicht daran gedacht, daß die Reparaturleute kamen, als sie mich allein ließ.

Gut, es wird lange dauern, ehe sie wieder so einen Fehler macht.

O – übrigens . . . hier ist Ihr Tischfeuerzeug.

W.: Oh? I hadn't missed it.

L.: I bought my cigarettes, but no matches. So I borrowed your lighter . . . and forgot to put it back on the desk.

W.: Oh, thank you very much . . .

L.: It must have slipped into my pocket by mistake . . . or force of habit, eh?

O? Ich hatte es gar nicht vermißt.

Ich habe mir Zigaretten gekauft, aber keine Streichhölzer. Darum habe ich mir Ihr Feuerzeug ausgeliehen . . . und vergessen, es wieder zurück auf den Schreibtisch zu stellen.

O, vielen Dank . . .

Es muß mir aus Versehen in die Tasche gerutscht sein . . . oder die Macht der Gewohnheit, was?

Words and Phrases

discover [dißka'we] *entdecken, bemerken*

alone [elou'n] *allein*

be one's fault *j-s Schuld sein, schuld an etw. sein*

welcome [ωe'lkem] *Willkommen, Empfang, Begrüßung*

harm [häm] *Schaden*

there is no harm in that *da ist (doch) nichts dabei*

pick [pik] up *auf-, abheben*

intend [inte'nd] *beabsichtigen, vorhaben*

I'd (= I had) rather *es wäre mir lieber (daß / wenn)*

mention [me'nschen] *erwähnen*

memory [me'meri] *Erinnerung; Gedächtnis*

I see *ich sehe (ein), ich verstehe*

suspect [ße'ßpe'kt] *verdächtigen*

search [ßötsch] *durchsuchen*

doubt [daut] (if) *(be)zweifeln (daß)*

expect [ikßpe'kt] *erwarten*

honest [o'nißt] *ehrlich, anständig*

answer the (tele)phone *einen Anruf annehmen*

circumstance [ßö'kemßtenß] *Umstand, Tatsache*

in these circumstances *unter diesen Umständen*

repair [ripä'e] *Reparatur; reparieren*

feel / be ashamed [eschei'md] *sich schämen*

ill feeling *Mißstimmung, Groll*

natural [nä'tscherel] *natürlich*

lighter [lai'te] *Feuerzeug*

desk lighter *Tischfeuerzeug*

match [mätsch] *Streichholz*

borrow [bo'rou] *entleihen*

slip [ßlip] *gleiten, rutschen*

by mistake *aus Versehen*

force [fōß] *Macht, Gewalt*

habit [hä'bit] *Gewohnheit*

force of habit *(die) Macht der Gewohnheit*

Explanations

Übersicht und Beispiele zum Gebrauch der Zeiten

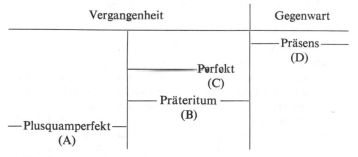

a) I had gone out for a minute (A), and when I came back (B), I discovered (B) that he had left (A).

b) After I had seen Mr. Catchpole (A), I hurried back (B), because he was worried (B).

c) Where have you been (C) – and where is my secretary's type-writer (D)?

d) I went out to get some cigarettes (B), after your secretary had left me alone (A).

e) I had just picked up the telephone (A), when you walked in (B).

f) What do you mean (D) – have you lost a typewriter (C)?

g) Did you think (B) I had taken it (A)?

h) You still think (D) I took it (B) – you don't trust me (D).

i) Answer the phone (D) while I talk to Mr. Lightfoot (D).

k) The men came (B) because we had asked them to call (A).

l) She had not thought of it (A) when she left me alone (B).

Gleichzeitigkeit der Handlung erfordert *gleiche Zeitform:*

a) when I came back, I discovered . . .; I had gone out – he had left.

b) I hurried back because he was worried.

h) You still think . . . – you don't trust me.

i) Answer the phone while I talk.

Zwei *Handlungen hintereinander in der Vergangenheit* erfordern das *Plusquamperfekt* für die frühere Handlung, das *Präteritum* für die spätere:

a) I had gone out. When I came back, I discovered that he had left.

b) After I had seen Mr. C. I hurried back . . .

d) I went out, after she had left me alone.

e) I had picked up the telephone when you walked in.

g) Did you think I had taken it?

k) The men came because we had asked them to call.

l) She had not thought of it when she left me alone.

Die *Verbindung von Vergangenheit und Gegenwart* erfordert das *Perfekt:*

c) Where have you been – and where is my secretary's typewriter?
   Wo sind Sie (von vorhin bis jetzt) *gewesen – und wo ist* (jetzt) *die Schreibmaschine meiner Sekretärin* (geblieben)?

f) What do you mean – have you lost a typewriter?
   Was meinen Sie (jetzt) *– haben Sie eine Schreibmaschine ver-loren* (und denken Sie daher jetzt, ich habe sie)?

Aber:

h) You still think I took it.
   Sie denken (jetzt) *immer noch, daß ich sie genommen habe* (in der Vergangenheit abgeschlossene Handlung = Präterium).

14th Lesson

Sally, die Sekretärin, ist im Weihnachtsurlaub, und Connie soll sie inzwischen vertreten.

Walter: Well, Connie – how do you like the idea of being my secretary, now that Sally is away on holiday?

Nun, Connie, wie gefällt dir der Gedanke, daß du meine Sekretärin bist, jetzt wo Sally im Urlaub ist?

Connie: I'm not sure – will you be angry and shout at me if I make mistakes?

Ich weiß nicht recht – wirst du böse auf mich sein und mich anschreien, wenn ich Fehler mache?

W.: Of course I won't – I'm very kind in the office. I'll understand if things go wrong at first – you'll soon settle in to the job.

Natürlich nicht – ich bin immer sehr freundlich im Büro. Ich habe Verständnis dafür, wenn zuerst manches schiefgeht – du wirst dich bald an die Arbeit gewöhnen.

C.: I'll do my best to do things right. Sally told me the main things I have to do, before she left.

Ich werde mein bestes tun, alles richtig zu machen. Sally hat mir schon das Hauptsächliche, was ich zu tun habe, gesagt, ehe sie abfuhr.

W.: Well, I know you're very good at typing, so that won't cause any trouble.

Gut, ich weiß, du schreibst sehr gut Schreibmaschine, das wird uns also keinen Kummer machen.

C.: And I'll be good at answering the telephone.

Und beim Telefonieren werde ich auch gut sein.

W.: Yes. But of course, you'll probably have some difficulties with the technical side of the business. Sally is very good at that.

Ja. Aber mit der technischen Seite des Betriebs wirst du natürlich einige Schwierigkeiten haben. Sally ist darin sehr gut.

C.: I think I'll manage.

Ich denke, ich werde schon damit fertig werden.

W.: It'll be more difficult than you think – Sally has been doing this job for several years now – you'll only be doing her job for a week.

Es wird schwieriger sein, als du denkst – Sally tut diese Arbeit nun schon seit mehreren Jahren – und du tust ihre Arbeit nur eine Woche lang.

C.: I think I'm clever enough to learn it quite quickly.	*Ich denke, ich bin intelligent genug, um es ganz schnell zu lernen.*
W.: Please don't try. If you find something difficult, you'll have to ask me – or Mr. Catchpole. We know.	*Bitte versuch's nicht. Wenn dir etwas zu schwierig ist, mußt du mich fragen – oder Mr. Catchpole. Wir wissen Bescheid.*
C.: Yes, Walter.	*Ja, Walter.*
W.: And, of course, if we have any callers, it won't be your position to make any deals – as you did with that young author, Joe Reed.	*Und wenn wir Besucher haben, ist es natürlich nicht deine Sache, Abmachungen zu treffen – wie du das mit dem jungen Autor Joe Reed gemacht hast.*
C.: But . . .	*Aber . . .*
W.: Now, Connie – you're just the secretary, and nothing more.	*Also, Connie – du bist nur Sekretärin und sonst nichts.*
C.: I'm your wife, too!	*Ich bin auch deine Frau!*
W.: Connie, please don't make things difficult. I am the manager . . .	*Connie, bitte mache es nicht so schwierig. Ich bin der Geschäftsführer . . .*
C.: And I'm the secretary. Very well. But it won't help if you try ordering me about like a slave!	*Und ich bin die Sekretärin. Na schön. Aber es wird nichts nützen, wenn du versuchst, mich wie einen Sklaven 'rumzukommandieren!*
W.: I'll make you a promise. If you are very good at your work . . .	*Ich will dir etwas versprechen. Wenn du in deiner Arbeit sehr gut bist . . .*
C.: Yes, Walter?	*Ja, Walter?*
W.: I'll take you out to lunch with me.	*Dann führe ich dich zum Essen aus.*
C.: Oh, Walter! In that case, I'm going to try my very hardest to be efficient.	*O, Walter! In dem Fall werde ich mich sehr anstrengen, tüchtig zu sein.*
W.: Good. Now I have to go out to an early appointment – but I'll be back in time for lunch. Bye-bye, darling.	*Gut. Jetzt muß ich schon zu einer Verabredung – aber ich bin rechtzeitig zum Essen zurück. Wiedersehen, Liebling.*
C.: Goodbye, Walter.	*Auf Wiedersehen, Walter.*

Nachdem Walter weggegangen ist, läutet das Telefon.

Good morning, Alpha Publishing Company, can I help	*Guten Morgen, Alpha-Verlag, womit kann ich dienen? . . . Er*

you? . . . I'm afraid he's just gone out, but he'll be back this afternoon. I'll tell him you called, Mr. Jackson – goodbye.

ist leider gerade fortgegangen, aber heute nachmittag ist er wieder hier. Ich werde ihm sagen, daß Sie angerufen haben, Mr. Jackson – auf Wiedersehen.

Mr. Catchpole kommt herein.

Catchpole: Ah, Mrs. Jones – being an efficient secretary, I see!

Ah, Mrs. Jones – Sie sind eine tüchtige Sekretärin, wie ich sehe!

C.: I'm trying, Mr. Catchpole. Is there something I can do for you?

Ich gebe mir Mühe, Mr. Catchpole. Kann ich irgend etwas für Sie tun?

Ca.: Here are some orders to be typed out. I think you can read my writing.

Hier sind ein paar Bestellungen abzutippen. Ich denke, Sie können meine Schrift lesen.

C.: Oh yes, it won't take long.

O ja, es wird nicht lange dauern.

Ca.: This one is very urgent and needs to be ordered immediately. It is for a large delivery of printing paper, and we must have it this morning. Will you be able to arrange that?

Dies hier ist sehr dringend und muß gleich bestellt werden. Es geht um eine große Lieferung von Druckpapier, und wir müssen es noch heute morgen haben. Werden Sie das einrichten können?

C.: Well, I . . . Yes, of course! I'll do it straight away.

Hm, ja, natürlich! Ich mache es sofort.

Ca.: I'm just going down to the printing works – when the paper comes, let me know, won't you?

Ich gehe nur mal in die Druckerei runter – wenn das Papier kommt, sagen Sie mir Bescheid, ja?

C.: Yes, I will.

Ja, das tue ich.

Nachdem Mr. Catchpole das Zimmer verlassen hat:

Now let's see. Oh – but what type of paper is it? Mr. Catchpole! Oh, he's gone. Then I'll have to look it up for myself! – Here we are . . . paper . . . oh dear, there are so many, all with different numbers. But I won't get the order in unless I telephone now. Oh! This looks like it – Type KV 301. Good.

Nun wollen wir mal sehen. O – aber welche Papiersorte ist es? Mr. Catchpole! Ach, er ist weg. Dann muß ich selbst nachsehen. – Da haben wir's . . . Papier . . . o je, da gibt's so viele, alle mit verschiedenen Nummern. – Aber ich bekomme die Bestellung nicht rein, wenn ich nicht jetzt telefoniere. O, dies sieht so aus – Typ KV 301. Gut. Nun brau-

Now all I have to do is to phone the order. It's perfectly simple! I just don't understand why Walter doesn't trust me to do things properly.

che ich nur noch die Bestellung telefonisch aufzugeben. Es ist ganz einfach! Ich weiß gar nicht, warum Walter mir nicht zutraut, alles richtig zu machen.

Words and Phrases

be (away) on holiday	*im Urlaub sein*
shout [schaut] (at)	*(an)schreien*
go wrong	*schiefgehen, mißglücken*
settle [ße'tl] in to	*sich gewöhnen an*
main [mein]	*hauptsächlich, Haupt...*
be good at	*gut sein in / bei*
cause [kōs]	*verursachen, veranlassen*
probable [pro'bebl]	*wahrscheinlich*
caller [kō'le]	*[rufer\ Besucher; An-∫*
deal [dīl]	*Handel, Geschäft, Abmachung*
make a deal	*eine Abmachung treffen*
order [ō'de]	*befehlen; bestellen; Befehl; Bestellung*
slave [ßleiw]	*Sklave*
promise [pro'miß]	*Versprechen; versprechen*

make a promise	*etw. versprechen, ein Versprechen geben*
take out to	*zum ... ausführen*
try one's hardest	*sich nach Kräften bemühen, alles versuchen*
efficient [ifi'schnt]	*tüchtig, leistungsfähig*
be in time for	*rechtzeitig zum ... sein*
Jackson [dǦä'kßn]	*Familienname*
type out	*mit der Maschine (ab)schreiben*
writing [rai'ting]	*Schrift, Geschriebenes*
urgent [ő'dǦent]	*dringend, eilig*
delivery [dili'weri]	*Lieferung*
type [taip]	*Typ, Sorte, Art*
what type of	*welche Sorte (von), was für*
look up sth.	*etw. nachschlagen / -sehen*
unless [enle'ß]	*wenn nicht*

Explanations

Das Futur I

Will you *be* angry and shout at me? – Of course I *won't*. – You'*ll* soon *settle* in to the job. – I'*ll do* my best. – You'*ll* probably *have* some difficulties. – I think I'*ll manage* it. – It'*ll be* more difficult than you think.

Neben der Möglichkeit, eine Handlung, die in der Zukunft liegt, mit Hilfe der Verlaufsform des Präsens auszudrücken (vgl. 1st Lesson), wird im Englischen das *Futur* bekanntlich mit *shall* bzw. *will* gebildet:

I will *od.* shall			I'll	
you will			you'll	
he, she, it will	} go		he'll, she'll, it'll	} go
we will *od.* shall			we'll	
they will			they'll	

I will *od.* shall			I won't *od.* shan't	
you will			you won't	
he, she, it will	} not go		he, she, it won't	} go
we will *od.* shall			we won't *od.* shan't	
they will			they won't	

I'll understand if things go wrong at first.	*Ich habe Verständnis dafür . . .*
You'll only be doing her job for a week.	*Du tust ihre Arbeit nur eine Woche lang.*
You'll have to ask me.	*Du mußt mich fragen.*
I'll take you out to lunch.	*Ich führe dich zum Essen aus.*
I'll be back in time for . . .	*Ich bin rechtzeitig zum . . . zurück.*
I'll do it straight away.	*Ich tue es gleich.*
I'll have to look it up.	*Ich muß es nachschlagen.*

Der Engländer ist bei der Anwendung des Futurs genauer als der Deutsche. Im Deutschen wird häufig das Präsens statt des Futurs verwendet; im Englischen steht für eine *Handlung in der Zukunft* auch eine *Futurform*.

I'm *going to try* my hardest.	*Ich will mich sehr anstrengen.*

Eine dritte Möglichkeit, das Futur auszudrücken, ist die Form *be going to* mit dem *Infinitiv*, die eine Absicht wiedergibt.

15th Lesson

Zwei Stunden später.

Walter: Connie, what's been happening while I've been talking to that bookseller? Mr. Catchpole is terribly angry!

Connie, was ist passiert, während ich mit dem Buchhändler gesprochen habe? Mr. Catchpole ist schrecklich böse!

Connie: Angry? But why? His paper arrived – and I told him so.

Böse? Aber warum denn? Sein Papier ist angekommen – und ich habe es ihm gesagt.

W.: Connie, did you order the paper? By yourself?

Connie, hast du das Papier bestellt? Allein?

C.: Yes. I think I was rather clever. Don't you?

Ja. Ich glaube, ich bin sehr tüchtig gewesen. Findest du nicht auch?

W.: How did you know what to order?

Woher hast du denn gewußt, was zu bestellen war?

C.: I looked it up, of course, in the catalogue. It was easy.

Ich habe natürlich nachgesehen, im Katalog. Das war ganz einfach.

W.: Was it?

So, wirklich?

C.: Walter, don't look so angry. Did I do something wrong?

Walter, sieh mich nicht so böse an. Habe ich etwas falsch gemacht?

W.: Yes, you did.

Ja, allerdings.

C.: Didn't I order the right amount?

Habe ich nicht die richtige Menge bestellt?

W.: The amount was correct. But it was what you ordered that was wrong. We now have several crates full of New Year wrapping paper!

Die Menge war richtig. Aber was du bestellt hast, war falsch. Jetzt haben wir mehrere Kisten voll Neujahrs-Geschenkpapier!

C.: But I didn't order it! Look – if you like, I'll show you – I wrote the number down – KV 301.

Aber das habe ich nicht bestellt! Sieh her – wenn du willst, zeige ich's dir – ich habe die Nummer aufgeschrieben – KV 301.

W.: It's the wrong number, Connie! We always have BQ 992! You are going to ruin the firm if you make many more mistakes like that!

Das ist die falsche Nummer, Connie! Wir haben immer BQ 992! Du wirst noch die Firma ruinieren, wenn du noch viele solche Fehler machst!

C.:	Oh, Walter, I'm sorry.	*O, Walter, es tut mir leid.*
W.:	Mr. Catchpole had to do the job on different paper – much more expensive, too. He is very upset!	*Mr. Catchpole mußte jetzt alles mit anderem Papier machen – viel teurerem noch dazu. Er ist sehr aufgebracht!*
C.:	I tried so hard to be efficient.	*Und ich habe mir so Mühe gegeben, tüchtig zu sein.*
W.:	Why didn't you ask Mr. Catchpole? New Year wrapping paper! How shall we be able to use it?	*Warum hast du Mr. Catchpole nicht gefragt? Neujahrs-Geschenkpapier! Wie sollen wir das bloß verwenden können?*
C.:	Why don't we sell it?	*Warum verkaufen wir es nicht?*
W.:	Connie, we're not a stationer's shop that sells paper and pens and things like that. We're a printer and publisher!	*Connie, wir sind doch kein Schreibwarengeschäft, wo Papier und Federhalter und sowas verkauft werden. Wir sind Drucker und Verleger!*
C.:	Walter, you've just given me an idea! We're going to publish several special books in the new year, aren't we?	*Walter, du hast mich eben auf eine Idee gebracht! Wir wollen doch im neuen Jahr mehrere besondere Bücher herausbringen, nicht?*
W.:	Yes ...	*Ja ...*
C.:	Then we'll wrap them in our new year wrapping paper! As presentation copies to all our customers!	*Dann wickeln wir eben die in unser Neujahrs-Geschenkpapier! Als Freiexemplare für alle unsere Kunden!*
W.:	Connie, that's a wonderful idea! But there's just one thing wrong ...	*Connie, das ist eine wundervolle Idee! Aber eins daran ist nicht gut ...*
C.:	Oh, what's that?	*O, was denn?*
W.:	At New Year, we'll be very busy.	*Zu Neujahr haben wir viel zu tun.*
C.:	Yes, we will. But how will that affect my idea?	*Ja. Aber was hat das mit meiner Idee zu tun?*
W.:	I don't think Mr. Catchpole will want to spend all his time wrapping parcels of books in special paper!	*Ich glaube nicht, daß Mr. Catchpole seine ganze Zeit damit zubringen will, Bücherpakete in besonderes Papier einzuwickeln!*
C.:	Oh, I agree! But we'll have to get someone specially to do it!	*O, das stimmt! Aber dann müssen wir jemand extra dafür haben!*
W.:	Yes, I'm going to.	*Ja, das werde ich tun.*

C.: Oh, good! You like my idea, then?	*O, gut! Dann gefällt dir also meine Idee?*	
W.: Yes, I do. If the right person does it, it won't be too difficult.	*Ja. Wenn es der Richtige macht, wird es nicht allzu schwierig sein.*	
C.: You've thought of someone, then?	*Du denkst also schon an jemand?*	
W.: Yes, Connie ... you.	*Ja, Connie ... an dich.*	
C.: Oh, Walter!	*O, Walter!*	
W.: Well, Connie – you made the mistake – you ordered the paper – you had the idea – so you can do it! And now ... I will take you to lunch, after all!	*Tja, Connie – du hast den Fehler gemacht – du hast das Papier bestellt – du hast die Idee gehabt – nun kannst du es auch tun! Und jetzt ... gehe ich trotz allem mit dir zum Essen aus!*	

Words and Phrases

bookseller [bu'kßele]	*Buchhändler*		bringen, auf- bringen
I told him so	*ich habe es ihm gesagt*	stationer [ßtei'schne]	*Papier-, Schreib- warenhändler*
catalogue [kä'telog]	*Katalog*	presentation [presentei'- schen]	*Geschenk; Über- reichung*
amount [emau'nt]	*Betrag, Anzahl, Menge*	presentation copy	*Freiexemplar*
crate [kreit]	*(Latten)Kiste*		
New Year	*Neujahr*	customer	*Kunde*
wrap [räp]	*einwickeln, -packen*	[ka'ßteme]	
wrapping paper	*Einwickelpapier*	be busy [bi'si]	*geschäftig sein, viel zu tun haben*
write down	*nieder-, hin-, aufschreiben*	spend [ßpend], spent, spent [ßpent]	*(Geld) ausgeben; (Zeit) verbrin- gen*
ruin [ru'in]	*ruinieren, zu- grunde richten*		
upset [apße't]	*aus der Fassung*	parcel [pä'ßl]	*Paket, Päckchen*

Explanations

Zum Gebrauch der Präpositionen (I)

Der Gebrauch der englischen Präpositionen läßt sich nicht in Regeln fassen; man kann ihn sich nur mit Hilfe von Beispielen einprägen, wenn man sich über die Grundbedeutung klar gewor- den ist.

Ursprünglich bezeichneten die Präpositionen räumliche Bezie- hungen (r.), später wurden sie auch im zeitlichen (z.) und über- tragenen Sinn (ü.) gebraucht:

r. Walter walked *about* the office. ... *im Büro umher*.
z. We met *about* three o'clock. ... *(etwa) um 3 Uhr*.
ü. It is a book *about* photography. ... *über Fotografie*.

Die englischen *Präpositionen* stehen gewöhnlich *vor dem Substantiv* und haben immer den *Akkusativ* nach sich.

in	*in*	r. in, auf, an
		z. in, an
		ü. in, auf, an, bei u. a.

Walter's office is *in* London.   *wo? – in*
He gets there *in* an hour.
Sometimes he is *in* a hurry.

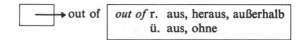

into ⟶ | *into* | r. ⎫ |
| | z. ⎬ in, hinein |
| | ü. ⎭ |

Connie goes *into* Walter's office.   *wohin? – into*
He had to work far *into* the evening.
They get *into* trouble.

⟶ out of | *out of* r. aus, heraus, außerhalb |
| | ü. aus, ohne |

He gets *out of* his car.
The type-writer is *out of* date. (veraltet)
This book is *out of* print. (vergriffen)

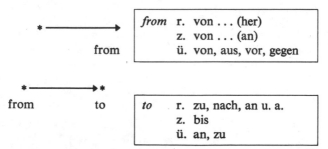

* ⟶ | *from* | r. von ... (her) |
| from | | z. von ... (an) |
| | | ü. von, aus, vor, gegen |

* ⟶ * | *to* | r. zu, nach, an u. a. |
| from   to | | z. bis |
| | | ü. an, zu |

87

The books were a present *from* the firm.

Walter went *from* the office *to* his house.

He has to work *from* 9 a.m. *to* 5 p.m.

To Walter's surprise Jeanne opened the door.

$$\left.\begin{array}{l} \textit{till} \\ \textit{until} \end{array}\right\} \text{z. bis}$$

Gordon slept *till* 9 o'clock.

| *as far as*   r. bis (= to) |

Mr. Reed went up the street *as far as* the bookshop.

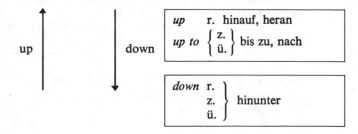

up   down

$$\begin{array}{ll} \textit{up} & \text{r. hinauf, heran} \\ \textit{up to} & \left\{\begin{array}{l} \text{z.} \\ \text{ü.} \end{array}\right\} \text{bis zu, nach} \end{array}$$

$$\left.\begin{array}{ll} \textit{down} & \text{r.} \\ & \text{z.} \\ & \text{ü.} \end{array}\right\} \text{hinunter}$$

He went *up* the street.

He has not seen her *up to* this day.

She was not *up to* it. (dem nicht gewachsen)

He was going *down* the street.

All *down* the history of the firm they had been successful.

All of them were in his office, from the manager *down* to Sally.

16th Lesson

Mr. Braddock, ein wichtiger Kunde des Alpha-Verlags, hat Walter gebeten, zu ihm in sein Büro zu kommen, um eine Broschüre zu besprechen, die der Alpha-Verlag für ihn drucken soll.

Walter: Now, Mr. Braddock, what is the publication that you have in mind?

Nun, Mr. Braddock, was ist das für eine Veröffentlichung, die Sie vorhaben?

Braddock: Well, Mr. Jones, my business is very large. And it's also a hundred years since it was first started.

Also, Mr. Jones, mein Geschäft ist sehr groß. Und es ist auch schon hundert Jahre her, daß es gegründet wurde.

W.: That's a splendid record!

Das ist ja eine glänzende Leistung!

Br.: It is. It's still a family business, you know.

Das ist es. Es ist immer noch ein Familienunternehmen, müssen Sie wissen.

W.: You must be very proud of it.

Sie müssen sehr stolz darauf sein.

Br.: Now, in this, our centenary year, it would be fitting if we marked the occasion.

Nun wäre es angebracht, in diesem Jahr, zu unserm hundertsten Jubiläum, wenn wir das Ereignis feierten.

W.: Please tell me your plan.

Bitte sagen Sie mir, was Sie vorhaben.

Br.: I want you to print a centenary booklet – something suitable for presentation to all our employees. It will remind them that Braddock's has a great past and an even greater future.

Ich möchte, daß Sie eine Jubiläumsbroschüre drucken – etwas, was als Geschenk an alle unsere Angestellten geeignet ist. Es wird sie daran erinnern, daß Braddock eine große Vergangenheit hat und eine noch größere Zukunft.

W.: That's fine, Mr. Braddock. How soon would you like it ready?

Das ist schön, Mr. Braddock. Wie bald hätten Sie es gern fertig?

Br.: Very quickly. Two weeks.

Sehr schnell. Zwei Wochen.

W.: Two weeks? That's very short notice!

Zwei Wochen? Das ist ein sehr kurzer Termin!

Br.: It won't take long, if you hurry. It certainly wouldn't take long if I did it!

Es wird nicht lange dauern, wenn Sie sich beeilen. Wenn ich es machte, würde es bestimmt nicht lange dauern.

W.: Well, we'll certainly do our best, Mr. Braddock. You are one of our best customers.	*Gut, Mr. Braddock, wir werden bestimmt unser Bestes tun. Sie sind einer unserer besten Kunden.*
Br.: Good. Well, don't forget that this booklet is very important to me. It was my idea, and I want it properly carried out.	*Gut. Ja, und vergessen Sie nicht, daß diese Broschüre für mich sehr wichtig ist. Es war meine Idee, und ich möchte, daß sie ordentlich ausgeführt wird.*
W.: I assure you we'll do our best. Is there any special requirement you have about it?	*Ich versichere Ihnen, wir tun unser Bestes. Haben Sie dazu noch irgendeinen besonderen Wunsch?*
Br.: Only one. The frontispiece – inside the front cover. If you look at the designer's layout, you'll see.	*Nur einen. Das Titelbild auf der Innenseite des Einbands. Wenn Sie sich den Entwurf des Graphikers ansehen, sehen Sie schon.*
W.: Yes, I see. A portrait photograph of you, Mr. Braddock.	*Ja, ich sehe. Ein Porträtfoto von Ihnen, Mr. Braddock.*
Br.: It's a good photo, and as far as I'm concerned it must show up well. After all, I am the head of the firm!	*Es ist ein gutes Foto, und was mich betrifft, so muß es sich gut machen. Schließlich bin ich der Chef der Firma.*
W.: I'll pay special attention to it. Leave it to me, Mr. Braddock – as soon as it's ready, I'll contact you . . . in about ten days' time.	*Ich werde besonders darauf achten. Überlassen Sie das nur mir, Mr. Braddock, sobald es fertig ist, setze ich mich mit Ihnen in Verbindung – in ungefähr zehn Tagen.*

Walter wird in seinem Büro von Mr. Braddock angerufen.

W.: This is Walter Jones speaking.	*Hier Walter Jones.*
Br.: Braddock here.	*Hier Braddock.*
W.: Oh, hallo Mr. Braddock! Have you had the copies of the booklet?	*O, guten Tag, Mr. Braddock! Haben Sie die Exemplare von der Broschüre schon gesehen?*
Br.: I have – and I'm furious! I would never have given you the job, if I'd realised you were going to ruin it!	*Das habe ich – und ich bin wütend! Ich hätte Ihnen niemals den Auftrag gegeben, wenn ich gewußt hätte, daß Sie alles verderben!*

90

W.: Ruin it? What do you mean?	*Verderben? Was meinen Sie denn damit?*
Br.: The photo! It isn't there!	*Das Foto! Es ist nicht da!*
W.: What?	*Was?*
Br.: Don't tell me you haven't even noticed! My photograph! The most important part of the whole booklet – missing! What are you going to do about it? Tell me that!	*Erzählen Sie mir nur nicht, Sie hätten es gar nicht bemerkt! Mein Foto! Das Wichtigste an der ganzen Broschüre – fehlt! Was wollen Sie nun machen? Sagen Sie mir das mal!*

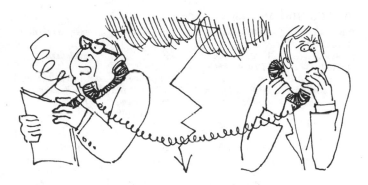

W.: Just a moment, Mr. Braddock – I'm just looking at a proof copy I have here on my desk . . . Oh dear, you're right! The photo isn't there!	*Einen Augenblick, Mr. Braddock – ich sehe mir gerade ein Revisionsexemplar an, das ich hier auf meinem Schreibtisch habe . . . O je, Sie haben recht, das Foto ist nicht da!*
Br.: And why not? Such incompetence – it's intolerable!	*Und warum nicht? Sowas von Unfähigkeit – das ist unerträglich!*
W.: I'm terribly sorry, Mr. Braddock.	*Es tut mir schrecklich leid, Mr. Braddock.*
Br.: I don't want apologies! I want that booklet reprinted – with my photo inside it! Do you understand?	*Ich brauche keine Entschuldigungen! Ich wünsche, daß die Broschüre neu gedruckt wird – mit meinem Foto drin! Verstehen Sie mich?*

W.: But, Mr. Braddock, there isn't time to reprint it!

Br.: That's your problem! You have five days, if the job isn't done by then, I'll withdraw my custom! And I certainly won't pay for this fiasco, I'm returning these copies immediately! Good-day!

W.: Oh dear, what on earth am I going to do now?

Aber Mr. Braddock, es ist keine Zeit mehr, es neu zu drucken!

Das ist Ihre Sache! Sie haben fünf Tage Zeit, wenn bis dann die Sache nicht erledigt ist, bin ich nicht mehr Ihr Kunde. Und für diesen Reinfall zahle ich natürlich nichts, ich schicke diese Exemplare sofort zurück. Guten Tag!

O je, was in aller Welt soll ich jetzt nur tun?

Words and Phrases

Braddock [brä′dok]	*Familienname*
publication [pablikei′sch^en]	*Veröffentlichung, Druckschrift*
have in mind	*im Sinn haben, vorhaben*
splendid [ßple′ndid]	*glänzend, hervorragend*
record [re′kŏd]	*Bericht, Zeugnis; Leistung(en)*
proud [praud] (of)	*stolz (auf)*
centenary [ßentī′n^eri]	*hundertjährig; Hundertjahrfeier*
fitting [fi′ting]	*passend, geeignet, angebracht*
occasion [^ekei′G^en]	*Gelegenheit, Anlaß, Ereignis*
mark the occasion	*das Ereignis feiern*
booklet [bu′klit]	*Büchlein, Broschüre*
suitable [ßjū′t^ebl]	*passend, geeignet, angemessen*
employee [emploiī′]	*Angestellter, Mitarbeiter*
remind [rimai′nd] a. p. (of)	*j-n erinnern (an) /hinweisen auf*
past [päßt]	*Vergangenheit*
future [fjū′tsch^e]	*Zukunft*
notice [nou′tiß]	*Notiz, Ankündigung, Warnung; bemerken*
carry out	*aus-, durchführen*
assure [^eschu′^e]	*versichern*
requirement [rikωai′^ement]	*(An)Forderung, Bedingung*
frontispiece [fra′ntißpīß]	*Titelbild*
front [frant]	*Vorder..., vorder*
cover [ka′w^e]	*Deckel, Einband*
designer [disai′n^e]	*(Muster)Zeichner, Entwerfer, Graphiker*
layout [lei′aut]	*Layout, Gestaltung(sskizze)*
portrait [pŏ′trit]	*Porträt*
photo(graph) [fou′t^egräf]	*Foto(grafie)*
concern [k^enßŏ′n]	*betreffen, angehen*
show up well	*sich gut machen, gut aussehen*
head [hed]	*Haupt; Chef*
attention [^ete′nsch^en]	*Aufmerksamkeit*
pay attention (to)	*aufpassen (auf), achten (auf)*
contact [ko′ntäkt]	*sich in Verbindung setzen mit*
in (about) ten days' time	*in (ungefähr) zehn Tagen*
this is ... speaking	*hier ... (am Telefon)*
furious [fju′ri^eß]	*wütend*

realise [ri'elais]	(klar) erkennen, sich vorstellen	withdraw [ωiðrō']	zurückziehen
miss [miß]	fehlen	custom [ka'ßtem]	Kundschaft
incompetence [inko'mpitenß]	Unfähigkeit	withdraw one's custom (from)	seine Kundschaft entziehen, nicht mehr Kunde sein (bei)
intolerable [into'lerebl]	unerträglich, nicht zu dulden		
apology [epo'ledǥi]	Entschuldigung	fiasco [fiä'ßkou]	Fiasko, Mißerfolg, Reinfall
problem [pro'blem]	Problem	return [ritð'n]	zurückkehren; -geben, -schicken

Explanations

Der Bedingungssatz (I)

It won't take long, *if* you hurry.	*Es wird nicht lange dauern, wenn Sie sich beeilen.*
If you look at the designer's layout, you'll see.	*Wenn Sie sich den Entwurf des Graphikers ansehen, sehen Sie (es) schon.*
If the job isn't done by then, I'll withdraw my custom.	*Wenn bis dann die Sache nicht erledigt ist, bin ich nicht mehr Ihr Kunde.*

Mit *if* wird im Englischen ein *Bedingungssatz* eingeleitet. Der Bedingungssatz drückt aus, daß eine bestimmte Bedingung erfüllt sein muß, damit eine bestimmte Folge eintritt. Anstelle von *if* (wenn, falls) kann ein Bedingungssatz auch durch

> *in case* im Falle daß; falls
> *provided that* vorausgesetzt, daß

eingeleitet werden.

I'll withdraw my custom *unless* the job isn't done by then.

Ein *verneinter Bedingungssatz* wird durch

> *unless* (= *if ... not*) wenn nicht, falls nicht

eingeleitet.

Der *Indikativ* (die Wirklichkeitsform) steht *im Haupt- und Nebensatz*, wenn der Bedingungssatz eine *erfüllbare Bedingung* enthält.

17th Lesson

Da Sally, die Sekretärin, krank ist, hilft Connie wieder einmal im Büro aus, und Walter bespricht mit ihr, was ihn bedrückt.

Walter: ... So you see, Connie, I'm in a terrible position. We've printed hundreds of the booklet, all with the photo missing – and all useless.

... Du siehst also, Connie, ich bin in einer schrecklichen Lage. Wir haben Hunderte von der Broschüre gedruckt, alle ohne das Foto – und alle unbrauchbar.

Connie: Is all that money wasted, Walter? How terrible! What will Mr. Henderson say?

Ist nun all das Geld 'rausgeworfen? Wie schrecklich! Was wird Mr. Henderson sagen?

W.: I don't know. Of course, he wouldn't find out – unless Mr. Braddock told him ...

Ich weiß nicht. Natürlich würde er nicht dahinterkommen – wenn es ihm nicht Mr. Braddock erzählte.

C.: Mr. Braddock always complains to the highest possible person. He's bound to tell Mr. Henderson.

Mr. Braddock beschwert sich gleich immer bei der höchsten Stelle, die möglich ist. Er sagt es bestimmt Mr. Henderson.

W.: I don't know what to do. We could have reprinted them, and just about covered our losses, if we'd had more time ...

Ich weiß nicht, was wir tun sollen. Wir hätten sie neu drucken können und würden gerade etwa unsere Verluste decken, wenn wir nur mehr Zeit gehabt hätten ...

C.: You'd never get it done in time.

Du würdest es niemals rechtzeitig fertigkriegen.

W.: I know. So we'll lose Mr. Braddock's account – which is worth a lot of money ... and we'll lose even more money on the booklets we've already printed!

Ich weiß. Wir werden also wohl Mr. Braddocks Kundschaft verlieren – was eine Menge Geld bedeutet ..., und wir verlieren sogar noch mehr Geld mit den Broschüren, die wir schon gedruckt haben!

C.: Oh, Walter – it wouldn't have happened, if you'd only taken care!

Ach, Walter, das wäre nicht passiert, wenn du nur aufgepaßt hättest!

W.: Don't say it again, Connie. I feel terrible about it.

Sag das nicht noch einmal, Connie. Ich fühle mich so schon ganz elend deswegen.

Mr. Henderson erscheint plötzlich in der Tür.

Henderson: And so you should, Walter!

Und das sollten Sie auch, Walter!

W.: Oh, Mr. Henderson! I didn't hear you come in! You know, then?

O, Mr. Henderson! Ich habe Sie nicht hereinkommen hören. Sie wissen es also schon?

H.: Yes, I do. Mr. Braddock phoned me – he was furious.

Ja. Mr. Braddock hat mich angerufen – er war wütend.

C.: Oh, Mr. Henderson, please don't be too hard on Walter – it was a genuine mistake!

O, bitte Mr. Henderson, seien Sie nicht zu streng mit Walter – es war ein reiner Irrtum!

H.: A very expensive mistake!

Ein recht teurer Irrtum!

W.: I know. Is it any use saying I'm sorry?

Ich weiß. Nützt es etwas, wenn ich sage, daß es mir leid tut?

H.: I think I can see a solution.

Ich denke, ich kann eine Lösung sehen.

C.: What do you mean, Mr. Henderson?

Was meinen Sie, Mr. Henderson?

H.: The photo wasn't printed in the booklet ... Is that so?

Das Foto wurde nicht in der Broschüre abgedruckt. Das stimmt doch, nicht?

W.: Yes, it's blank – quite empty inside the front cover.

Ja, es ist frei – ganz leer auf der vorderen Innenseite des Einbandes.

H.: Then why not print the photo separately, and just put it in?

Warum dann nicht das Bild einfach getrennt drucken und hineinlegen?

C.: But it will be loose, it will come out.

Aber dann ist es lose, es wird herausfallen.

H.: Then remind Mr. Braddock that it can be taken out ... as a special memento for his staff.

Dann weisen Sie Mr. Braddock darauf hin, daß man es herausnehmen kann ... als besonderes Erinnerungsstück für seine Leute.

C.: What a wonderful idea!

Was für eine glänzende Idee!

W.: It wouldn't take long, if we were quick! We can do it easily in five days! And that way we won't have to reprint anything at all!

Wenn wir schnell sind, würde das nicht lange dauern. Wir können es leicht in fünf Tagen schaffen. Und auf die Weise brauchten wir überhaupt nichts neu zu drucken!

C.: And all Mr. Braddock's staff will have a splendid

Und alle Mitarbeiter von Mr. Braddock haben eine wunder-

photograph of him that they can take out and put in a frame!	*schöne Fotografie von ihm, die sie herausnehmen und einrahmen können!*
H.: If they want to.	*Wenn sie das wollen.*
W.: I'll phone him immediately, and tell him! Excuse me.	*Ich rufe ihn sofort an und sage es ihm. Entschuldigen Sie mich bitte.*

Er geht aus dem Zimmer.

C.: Mr. Henderson, you're so clever to think up such an idea! I don't think Walter will make a silly mistake like that again.	*Mr. Henderson, Sie sind so geschickt – sich so etwas auszudenken! Ich glaube, Walter wird nicht wieder einen so dummen Fehler machen.*
H.: I don't mind him making some mistakes – I only wish they were cheaper.	*Ich habe nichts dagegen, daß er mal Fehler macht – ich wünschte nur, sie wären billiger.*

Walter kommt zurück.

W.: I've just phoned Mr. Braddock – he's delighted with the idea!	*Ich habe eben mit Mr. Braddock telefoniert – er ist entzückt von der Idee!*
C.: Oh, what a relief! It's turned out for the best after all.	*O, da bin ich erleichtert! Schließlich ist doch noch alles gut ausgegangen.*
W.: Yes, it has. Thank you, Mr. Henderson, you've saved us again!	*Ja. Vielen Dank, Mr. Henderson, Sie haben uns wieder mal gerettet!*

Words and Phrases

useless [jū´ßliß]	*nutzlos, unbrauchbar*	account [ᵉkau´nt]	*Konto, Rechnung*
waste [ωeißt]	*verschwenden, vergeuden, „rausschmeißen"*	lose a customer's account	*j-s Kundschaft verlieren*
		worth [ωðθ]	*wert*
find [faind] out, found, found [faund]	*herausfinden, -bekommen, dahinterkommen*	take care (of)	*sich vorsehen (mit), aufpassen (auf), achten (auf) [tig}*
complain [kᵉmplei´n] (of) (to)	*sich beklagen / beschweren (über) (bei)*	hard [hād] genuine [dǪe´njuin]	*hart, streng, hef-} echt, unverfälscht, wahr*
cover [ka´wᵉ]	*bedecken; (ab)decken*	it is no use doing ...	*es nützt nichts ... zu tun*

96

solution [ßᵉlū′schᵉn]	*Lösung*	think up sth.	*sich etw. ausdenken / einfallen lassen*
blank [blängk]	*leer, nicht ausgefüllt, frei*	be delighted [dilai′tid] (with)	*entzückt sein (über, von)*
empty [e′mpti]	*leer*	relief [rilī′f]	*Erleichterung*
separate [ße′prit]	*getrennt, separat*	turn out	*sich herausstellen, sich ergeben, ausgehen*
loose [lūß]	*lose, locker*		
memento [mime′ntou]	*Erinnerung(sstück)*		
staff [ßtäf]	*(Mitarbeiter-)Stab, Leute*	turn out for the best	*sehr gut ausgehen, sich zum besten wenden*
frame [freim]	*Rahmen*	save [ßeiw]	*retten*

Explanations

Der Bedingungssatz (II)

(vgl. die Übersicht S. 98)

Man unterscheidet *drei Arten von Bedingungssätzen:*

A) Wenn der Bedingungssatz eine *erfüllbare Bedingung* enthält, stehen *Haupt- und Nebensatz* im *Indikativ.*

B) Ist die *Bedingung* eine *Vermutung* oder *Möglichkeit*, die sich auf die *Zukunft* bezieht, so steht im *Nebensatz* das *Präteritum*, im *Hauptsatz* der *Konditional I* (1. Bedingungsform: *should / would, could, might, ought to* + Infinitiv).

C) Bei einer *nicht erfüllten Bedingung*, die sich auf die *Vergangenheit* bezieht, steht im *Nebensatz* das *Plusquamperfekt*, im *Hauptsatz* der *Konditional II* (2. Bedingungsform: *should have / would have, could have, might have, ought to have* + Partizip Perfekt).

Im *Nebensatz mit "if" (if not, unless)* steht *niemals Futur* oder *Konditional!*

	Hauptsatz	Nebensatz
A)	They *can put* it in a frame, Sie können es einrahmen,	if they *want* to. wenn sie es wollen.
	We'*ll lose* even more money, Wir verlieren sogar noch mehr Geld,	if we *don't find* a solution. wenn wir keine Lösung finden.
B)	He *would't find out*, Er würde es nicht heraus-bekommen,	unless Mr. Braddock *told* him. wenn Mr. B. es ihm nicht erzählte.
	It *wouldn't take* long, Es würde nicht lange dau-ern,	if we *were* quick. wenn wir uns beeilten.
C)	We *could have reprinted* them, Wir hätten sie neu drucken können,	if we *had had* more time. wenn wir mehr Zeit gehabt hätten.
	It *wouldn't have happened*, Es wäre nicht passiert,	if you *had* only *taken* care! wenn du nur aufgepaßt hättest!

(Erläuterungen s. S. 97)

18ᵗʰ Lesson

Da Connie jetzt regelmäßig mit Walter im Alpha-Verlag arbeitet, braucht sie Hilfe im Haushalt und hat ein Au-pair-Mädchen aus Frankreich engagiert, das nächste Woche kommen soll. – Im Augenblick ist Connie zu Hause. Es klingelt an der Haustür.

Connie: Good morning. Can I help you?

Guten Morgen! Was wünschen Sie?

Jeanne: Good morning. I am Jeanne.

Guten Morgen! Ich bin Jeanne.

C.: Jeanne?

Jeanne?

J.: You are expecting me – I am your 'au-pair' girl – the girl from France.

Sie erwarten mich. Ich bin Ihr Au-pair-Mädchen – das Mädchen aus Frankreich.

C.: Oh, yes, we are expecting you – but not yet. Your introduction said you'd arrive next week.

O ja, wir erwarten Sie – aber noch nicht jetzt. In Ihrem Einführungsbrief hieß es, Sie kämen nächste Woche.

J.: I am sorry, but there must be some mistake. I sent a letter explaining that I was coming today.

Das tut mir leid, aber da muß ein Irrtum vorliegen. Ich habe einen Brief geschrieben, in dem ich sagte, daß ich heute käme.

C.: We haven't had any letter about it.

Wir haben keinen Brief darüber bekommen.

J.: But this is terrible! You must think me very inefficient.

Aber das ist ja schrecklich! Sie müssen mich für sehr untüchtig halten.

C.: It isn't your fault. It must be the postal service. Come inside and we'll try to sort things out.

Es ist nicht Ihre Schuld. Das muß an der Post liegen. Kommen Sie doch herein, wir werden schon alles klären.

J.: I have my luggage with me. Will it be convenient if I stay now?

Ich habe mein Gepäck bei mir. Ist es Ihnen recht, wenn ich gleich hier bleibe?

C.: You'll have to stay!

Sie müssen bleiben!

Jeanne bringt ihr Gepäck ins Haus.

After all, you have travelled a long way. We can't very well send you back.

Schließlich haben Sie eine lange Reise hinter sich. Wir können Sie doch nicht wieder wegschicken.

J.:	Would you rather that I stayed at an hotel? I will if you insist.	*Wäre es Ihnen lieber, wenn ich in einem Hotel bliebe? Wenn Sie wollen, tue ich das.*
C.:	I wouldn't dream of it – and it'd be very expensive for you. No, you must stay now.	*Ich würde nicht im Traum daran denken – und es wäre sehr teuer für Sie. Nein, nun müssen Sie schon bleiben.*
J.:	Thank you very much indeed. I have been looking forward to living with you and your family.	*Vielen herzlichen Dank. Ich freue mich schon sehr darauf, bei Ihnen und Ihrer Familie zu wohnen.*
C.:	Gordon will be glad you've come – he's the baby – but my husband will be very surprised when he sees you.	*Gordon – unser Baby – wird sich freuen, daß Sie gekommen sind; aber mein Mann wird sehr überrascht sein, wenn er Sie sieht.*
J.:	I hope he won't be angry when he realises a mistake has been made.	*Ich hoffe, er wird nicht böse sein, wenn er sieht, daß ein Irrtum unterlaufen ist.*
C.:	I'm sure we're going to enjoy having you with us, though we're not used to anyone looking after the baby. Perhaps you'd like to unpack while I go out.	*Wir freuen uns bestimmt, Sie bei uns zu haben, obwohl wir nicht gewohnt sind, jemand zu haben, der sich um das Baby kümmert. Vielleicht möchten Sie gern auspacken, während ich weggehe.*
J.:	Yes, I will. Are you expecting anyone while you are gone?	*Ja, gern. Erwarten Sie jemanden, während Sie fort sind?*
C.:	No. There shouldn't be any callers, but if there are, you must tell them to wait until I come back. Now I can go to the shops while you are unpacking and leave you in charge of the house.	*Nein. Es sollte eigentlich kein Besuch kommen, aber falls doch, müssen Sie ihm sagen, er möchte warten, bis ich wiederkomme. Ich kann jetzt einkaufen gehen, während Sie auspacken, und ich kann Ihnen das Haus überlassen.*
J.:	Perhaps you would show me my room, please?	*Würden Sie mir vielleicht bitte mein Zimmer zeigen?*
C.:	Yes, certainly – it's this door here. I hope you'll like it.	*Ja, sicher – hier, diese Tür ist es. Ich hoffe, es gefällt Ihnen.*
J.:	Oh, it is a charming room! – Is the baby asleep? When can I see him?	*O, es ist ein reizendes Zimmer! – Schläft das Baby? Wann kann ich es sehen?*
C.:	He's resting in his pram in the garden at the moment.	*Im Augenblick schläft es gerade im Wagen im Garten.*

J.: I am looking forward to seeing the baby.

Ich freue mich schon darauf, das Baby zu sehen.

C.: You'll find the baby very easy to get on with. – Now I must go. Remember what I said about strangers, just say "Mrs. Jones is not receiving visitors".

Sie werden sehen, daß man sehr gut mit ihm auskommt. – Ich muß jetzt gehen. Vergessen Sie nicht, was ich Ihnen wegen der fremden Besucher gesagt habe, sagen Sie einfach „Mrs. Jones empfängt keinen Besuch".

J.: I will, madame, "Mrs. Jones is not receiving visitors" – "Mrs. Jones is not receiving visitors".

Ja, Madame, „Mrs. Jones empfängt keinen Besuch" – „Mrs. Jones empfängt keinen Besuch."

Words and Phrases

Jeanne [ʒan]	*französ. weibl. Vorname*	
au-pair [ōpä'ᵉ] girl	*Au-pair-Mädchen (gegen*	*Hilfe im Haushalt als Gast in der Familie aufgenommen)*

France [fränß]	*Frankreich*	I wouldn't dream of it	*das fiele mir nicht im Traum ein*
introduction [intrᵉda´kschᵉn]	*Einführung, Vorstellung; Empfehlungsschreiben*	look forward [fō´ωᵉd] to	*sich freuen auf*
the letter said	*in dem Brief hieß es*	enjoy [indQoi´]	*sich freuen über, genießen*
inefficient [inifi´schᵉnt]	*untüchtig, unfähig*	be used [jūßt] to	*gewohnt sein, gewöhnt sein an*
fault [fōlt]	*Fehler, Schuld*	unpack [a´npä´k]	*auspacken*
postal service [pou´ßtᵉl ßð´wiß]	*Postdienst, Postbetrieb*	charming [tschä´ming]	*reizend, entzückend*
sort [ßōt] out	*(aus)sortieren, ordnen*	be asleep [ᵉßlī´p]	*schlafen*
sort things out	*die Angelegenheit(en) klären*	rest [reßt] pram [präm] = perambulator [prä´mbjuleitᵉ]	*ruhen Kinderwagen*
luggage [la´gidQ]	*Gepäck*		
convenient [kᵉnwī´njᵉnt]	*bequem, angenehm, passend*	get on (with)	*auskommen (mit), sich vertragen (mit)*
travel a long way	*eine weite Reise machen, weit fahren*	stranger [ßtrei´ndQᵉ]	*Fremde(r), Unbekannte(r)*
hotel [houte´l]	*Hotel*	receive [rißī´w]	*empfangen*
insist [inßi´ßt] (on)	*bestehen (auf)*	visitor [wi´sitᵉ]	*Besucher*
dream [drīm], dreamt, dreamt [dremt]	*träumen*	madame [mada´m]	*französ.: Madame, gnädige Frau*

Explanations

Zum Gebrauch der Präpositionen (II)

with	r. ü.	mit, bei, vor, aus u. a.

| * within |

within	r. z. ü.	in, innerhalb

without	ü.	ohne

Jeanne lives *with* Walter and Connie.
Connie did her work *with* care.

He put the book *within* reach. (Reichweite)
Answer this letter *within* this week, please.

102

It was *within* Mr. Henderson's power to help.

He worked *without* any hope of success.

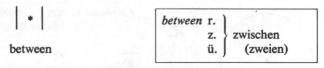

between r.	
z.	} zwischen
ü.	(zweien)

There is a garden *between* the house and the street.

He slept *between* two and three in the afternoon.

He saw a football match *between* Leeds and Liverpool.

among

among r.	unter, zwischen
ü.	(mehreren)

There was a house *among* the trees.

They were *among* themselves.

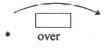

above r.	über, oberhalb
ü.	über, vor

The sun rose *above* the wood.

This book is *above* me. (zu schwierig)

over

over r.	über, über ...
z.	(hin)
ü.	über

The car rolled *over* a bridge.

I shall stay here *over* the weekend.

A king ruled *over* the country.

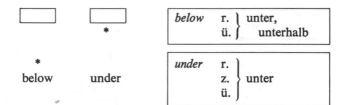

below   under

below r.	unter,
ü.	unterhalb

under r.	
z.	} unter
ü.	

Ten miles *below* the bridge. (unterhalb = flußabwärts)

This was *below* him. (unter seiner Würde)

The ship passed *under* the bridge.

You will get an answer in *under* five days. (weniger als)
His friend is *under* thirty.

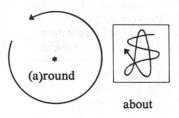

(a)round	r. um (... herum)
	z. hindurch

about	r. in ... herum, umher
	z. um, etwa
	ü. über

They stood *around* him.
All the year *round* there is something interesting to be seen.

They walked *about* the streets.
She is *about* twenty-two.
Mr. Catchpole knows all *about* publishing books.

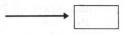

towards

towards	r. nach, auf ... zu
	z. gegen
	ü. gegen, zu, betreffend

They walked *towards* the river.
He will return *towards* the end of May.
Connie's feelings *towards* Mr. Reed were friendly.

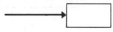

against

against	r. ⎫
	ü. ⎭ gegen

The car ran *against* the bus.
They had to work *against* time.

beyond

beyond	r. ⎫
	z. ⎬ über ... hinaus,
	ü. ⎭ jenseits

You must not go *beyond* this line.
Walter came home an hour *beyond* the usual time.
Walter succeeded *beyond* his hopes.

19th Lesson

Das neue Au-pair-Mädchen soll auf das Haus aufpassen, während Connie einkaufen gegangen ist. Es klingelt an der Haustür, und nach einigem Zögern öffnet Jeanne die Tür:

Jeanne: Yes? Who are you?

Ja? Wer sind Sie?

Walter: I beg your pardon – who are you?

Wie bitte – wer sind Sie denn?

J.: I live here. Mrs. Jones is not receiving visitors.

Ich wohne hier. Mrs. Jones empfängt keinen Besuch.

W.: Where is Mrs. Jones?

Wo ist Mrs. Jones?

J.: There is no reason for me to tell you. You must wait until Mrs. Jones will see you.

Ich habe keine Veranlassung, Ihnen das zu sagen. Sie müssen warten, bis Mrs. Jones Sie empfängt.

W.: But I'm Mr. Jones! I want to see my wife!

Aber ich bin Mr. Jones! Ich möchte meine Frau sprechen!

J.: You are Mrs. Jones's husband? She is not expecting you.

Sie sind Mrs. Jones' Mann? Sie erwartet Sie nicht.

W.: But I live here . . . I've come home early.

Aber ich wohne hier . . . ich bin früher nach Hause gekommen.

J.: How do I know that's true?

Woher kann ich wissen, ob das wahr ist?

W.: Because I say so! This is my house and Mrs. Jones is my wife – and you are a stranger.

Weil ich es sage! Dies ist mein Haus, und Mrs. Jones ist meine Frau – und Sie sind eine Fremde.

J.: I am sorry but it is you who are the stranger.

Es tut mir leid, aber Sie sind der Fremde.

W.: But I'm not a stranger – you must let me in.

Aber ich bin kein Fremder – Sie müssen mich hineinlassen.

J.: Perhaps you'd like to show me some means of identification.

Vielleicht sind Sie so freundlich, mir irgendeinen Ausweis zu zeigen.

W.: Of course! At least – well, my wallet is in my other jacket . . . in the wardrobe – in the wardrobe in the bedroom of my house!

Selbstverständlich! Wenigstens – ach, meine Brieftasche ist in meinem anderen Jackett . . . im Schrank – im Schrank im Schlafzimmer meines Hauses!

J.: Have you nothing that you can prove who you are?	*Haben Sie nichts, womit Sie beweisen können, wer Sie sind?*
W.: As it happens, I haven't – you must believe me.	*Zufällig nicht – Sie müssen mir schon so glauben.*
J.: I don't think I should, it may be a trick.	*Ich glaube, das sollte ich lieber nicht tun, vielleicht ist es ein Trick.*
W.: Just let me talk to Mrs. Jones, and she will identify me when she sees me.	*Lassen Sie mich nur mit Mrs. Jones sprechen, Sie wird bestätigen, daß ich es bin, wenn sie mich sieht.*
J.: But she is out. You must wait until she returns.	*Aber sie ist weggegangen. Sie müssen warten, bis sie wiederkommt.*
W.: This is ridiculous! I don't know who you are, and you are keeping me out of my own house.	*Das ist doch lächerlich! Ich weiß nicht, wer Sie sind, und Sie lassen mich nicht in mein eigenes Haus.*

J.: If I make a mistake, Mrs. Jones will never trust me again.	*Wenn ich etwas falsch mache, wird mir Mrs. Jones nie wieder trauen.*
W.: At least tell me your name!	*Dann sagen Sie mir wenigstens Ihren Namen!*
J.: My name is Jeanne. I am the new 'au-pair' girl, and I live here.	*Ich heiße Jeanne. Ich bin das neue Au-pair-Mädchen, und ich wohne hier.*

W.: That can't be true. The 'au-pair' girl is not expected until later this month! You are an impostor! Let me in! — *Das kann nicht stimmen. Das Au-pair-Mädchen wird erst später in diesem Monat erwartet. Sie sind eine Betrügerin! Lassen Sie mich hinein!*

J.: You must not come in – don't try to use force or I will call the police! — *Sie dürfen nicht hereinkommen – versuchen Sie nicht, Gewalt anzuwenden, sonst rufe ich die Polizei!*

W.: Call the police? To keep me out of my own house? I will call the police – to throw you out! — *Die Polizei rufen? Um mich nicht in mein eigenes Haus zu lassen? Ich werde die Polizei rufen – um Sie hinauszuwerfen!*

J.: I shall tell them that I am being threatened by a criminal! — *Ich werde ihnen sagen, daß ich von einem Verbrecher bedroht werde!*

W.: I shall tell them that you have kidnapped my wife and child! — *Und ich werde ihnen sagen, daß Sie meine Frau und mein Kind entführt haben!*

Connie kommt nach Hause.

Connie: Walter – why are you shouting? What's happening? — *Walter, warum schreist du so? Was geht hier vor?*

J.: Oh, madame, this man says he is your husband, but he has no identification. — *Ach, Madame, dieser Mann sagt, er sei Ihr Gatte, aber er kann sich nicht ausweisen.*

W.: Connie – thank goodness you've come! Tell this girl who I am! She says she's the new 'au-pair' girl. But the 'au-pair' girl isn't expected until the end of the month. She's a complete stranger, and she won't let me into my own house. — *Connie – Gott sei Dank, daß du da bist! Sag diesem Mädchen, wer ich bin! Sie sagt, sie sei das neue Au-pair-Mädchen. Aber das erwarten wir doch erst Ende des Monats. Sie ist eine völlig Fremde, und sie will mich nicht in mein eigenes Haus lassen.*

C.: You're both making a terrible mistake! Walter, this is Jeanne. Jeanne, this is Walter, my husband. You're both right, but you're both making a mistake. — *Ihr seid beide ganz schrecklich im Irrtum! Walter, dies ist Jeanne. Jeanne, dies ist Walter, mein Mann. Ihr habt beide recht, und doch irrt ihr euch beide.*

W.:	Well, perhaps you'd let me in now.	Na, vielleicht würden Sie mich jetzt hineinlassen.
J.:	Oh, Mr. Jones, how can I say how sorry I am. I apologize for talking to you in this way.	Ach, Mr. Jones, wie soll ich Ihnen sagen, wie leid mir das tut. Entschuldigen Sie, daß ich so mit Ihnen gesprochen habe.
W.:	Not at all – it's my fault, I should have believed you. I'm sorry I lost my temper and shouted at you.	Aber ich bitte Sie – ich bin schuld, ich hätte Ihnen glauben sollen. Es tut mir leid, daß ich wütend geworden bin und Sie angeschrien habe.
J.:	But I called you a criminal!	Aber ich habe Sie einen Verbrecher genannt!
W.:	And I called you a kidnapper!	Und ich habe Sie eine Entführerin genannt!
C.:	Well – you were both wrong. Now you know each other, and I'd rather you get on better in future.	Nun, ihr hattet beide unrecht, und es wäre mir lieber, ihr kämt in Zukunft besser miteinander aus.
W.:	I am sure we will – and I think we can feel very proud of Jeanne. Nobody will get into the house while she's around! We can trust her completely.	Das werden wir bestimmt – und ich finde, wir können stolz auf Jeanne sein. Wenn sie hier ist, kommt niemand ins Haus! Wir können ihr völlig vertrauen.
C.:	You're quite right – we're very pleased with you, Jeanne. But Walter, you must get used to carrying your key and some means of identifying yourself!	Du hast ganz recht – wir sind sehr zufrieden mit Ihnen, Jeanne. Aber Walter, du mußt dir angewöhnen, deinen Schlüssel bei dir zu haben und irgendwelche Ausweispapiere!

Words and Phrases

(I beg your) pardon? [pā′dn]	wie bitte?	wardrobe [ωõ′droub]	(Kleider-) Schrank
means [mīns] (Sing., Plur.)	Mittel	prove [prūw] as it happens	beweisen wie es sich trifft, wie es nun einmal so ist, zufällig
identification [aidentifikei′- sch°n]	Identifizierung, Feststellung, Erkennung		
means of identification	Ausweis (-papiere)	trick [trik]	Trick, Kniff
wallet [ωo′lit]	Brieftasche	identify [aide′ntifai]	identifizieren, feststellen, erkennen
jacket [dǧä′kit]	Jackett, Jacke	ridiculous [ridi′kjul°ß]	lächerlich

keep out of	*fernhalten von*	shout [schaut] at	*(an)schreien*
impostor [impoˈßtᵉ]	*Betrüger, Schwindler, Hochstapler*	thank goodness [guˈdniß]	*Gott sei Dank*
force [fõß]	*Kraft, Macht, Gewalt*	kidnapper [kiˈdnäpᵉ]	*Entführer*
throw [θrou], threw [θrū], thrown [θroun]	*werfen*	be wrong [rong]	*unrecht haben*
threaten [θreˈtn]	*(be)drohen*	around [ᵉrauˈnd]	*in der Nähe*
kidnap [kiˈdnäp]	*entführen, verschleppen*	carry [käˈri]	*(mit sich herum-) tragen, bei sich haben*
		key [kī]	*Schlüssel*

Explanations

Zum Gebrauch der Präpositionen (III)

across	r. quer über, auf der anderen Seite von	*through*	r. z. } durch, hindurch	
			ü. durch, aus, vor	

There is a bridge *across* the river. The shop is *across* the street.

Mr. Henderson travelled *through* England. It rained *through* the whole week. I heard this news *through* a friend.

before	r. vor (= in front of)	*behind*	r. z. } hinter	
	z. vor		ü.	

after

after	r. hinter ... her	
	z. } nach	
	ü.	

They stood *before* the door. Walter arrived *before* Mr. Catchpole.

Walter was standing *behind* his desk. The bus was *behind* time. There is a meaning *behind* these words.

Walter came *after* Mr. Catchpole. He went home *after* three o'clock. She is called *after* her mother.

(up)on	r. auf, an
	z. an, bei
on	ü. über, auf u. a.

The book is lying *on* the desk. I was in England *on* a holiday. Here is a book *on* photography.

at	r. } an, bei, zu, in,
	z. } um
at	ü. über, nach, auf

The train stopped *at* the station. Walter got up *at* nine o'clock. They laughed *at* the funny book.

by	r. bei, neben, über
	z. bis zu, gerade um, gegen
by	ü. von, durch, mit

Connie was sitting *by* the window. Walter will be back *by* one o'clock. The quickest way to the office is *by* bus.

near	r. } nahe bei
	z. }
near	

Walter's office is *near* the station. The sun is *near* rising.

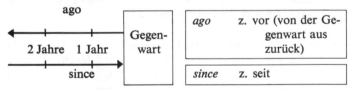

ago	z. vor (von der Gegenwart aus zurück)
since	z. seit

Two years *ago* I saw London for the first time. I have been in London *since* last week.

> *ago* wird mit dem *Präteritum*, *since* wird mit dem *Perfekt* verbunden.

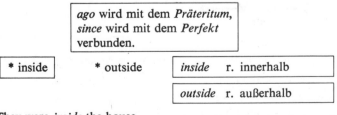

inside	r. innerhalb
outside	r. außerhalb

They were *inside* the house.
The office was *outside* the city.

20th Lesson

Heute morgen ist Walter mit seiner Frau ins Büro gekommen, und die Sekretärin begrüßt beide:

Sally: Good morning, Mr. Jones, good morning, Mrs. Jones. — *Guten Morgen, Mr. Jones, guten Morgen, Mrs. Jones.*

Walter: Good morning, Sally. Connie has come to help me with some proof-reading. Would you bring me the proofs of the Simon Pebble novel, please? — *Guten Morgen Sally. Connie ist mitgekommen, um mir ein bißchen beim Korrekturlesen zu helfen. Würden Sie mir bitte die Korrekturfahnen des Romans von Simon Pebble bringen?*

S.: Certainly, Mr. Jones, I've got them here ready for you. — *Gern, Mr. Jones, ich habe sie schon hier für Sie zurechtgelegt.*

Connie: Thank you, Sally. — *Danke schön, Sally.*

S.: It's not an easy job – you have to be careful, and it can be very uninteresting. — *Es ist keine leichte Arbeit – Sie müssen sehr sorgfältig sein, und es kann recht langweilig sein.*

W.: Not one of Simon Pebble's novels, Sally, they're always exciting! — *Aber nicht ein Roman von Simon Pebble, Sally, die sind immer aufregend!*

C.: In that case, I shall enjoy myself, and combine work and pleasure. — *In dem Fall werde ich mich gut amüsieren und Arbeit und Vergnügen miteinander verbinden.*

W.: Now, Sally, what appointments have I got today? Anything special? — *Nun, Sally, was habe ich heute für Verabredungen? Irgend etwas Besonderes?*

S.: Only one this morning, with Mr. Peters. — *Nur eine heute morgen, mit Mr. Peters.*

W.: Oh, yes, the agent. What time? — *Ach ja, der Agent. Um welche Zeit?*

S.: Ten-thirty. — *Halb elf.*

W.: Is that all? — *Ist das alles?*

S.: Well, there is one special thing. But it has nothing to do with business. — *Da ist noch etwas Besonderes. Aber es hat nichts mit dem Geschäft zu tun.*

C.: It sounds very mysterious, Sally. — *Das klingt ja so geheimnisvoll, Sally.*

S.: Well, I do want to keep it a secret, in a way. — *Ja, ich möchte es eigentlich auch geheim halten.*

111

W.:	I must say I'm intrigued. Do tell us what it is.	*Ich muß schon sagen, ich bin erstaunt. Sagen Sie uns doch, was es ist.*
S.:	Well ... it's Mr. Catchpole's birthday.	*Also gut ... es ist Mr. Catchpoles Geburtstag.*
C.:	How lovely! We must congratulate him!	*Wie schön! Wir müssen ihm gratulieren!*
W.:	And we must buy him a birthday card – perhaps a present, too!	*Und wir müssen eine Geburtstagskarte für ihn kaufen – vielleicht auch ein Geschenk!*
S.:	I wanted to give him a little surprise, myself ... a little celebration, with a cake. And a pot of my special coffee.	*Ich möchte ihm eine kleine Überraschung bereiten ... eine kleine Feier, mit Kuchen. Und mit einer Kanne von meinem besonders guten Kaffee.*
C.:	What a splendid idea! When?	*Eine glänzende Idee! Wann?*
S.:	Just before the office closes – at five. That is, if Mr. Jones won't mind.	*Kurz vor Büroschluß – um fünf. Das heißt, wenn Mr. Jones nichts dagegen hat.*
W.:	I agree – on one condition ... that you invite us, and let us help you to arrange the party properly.	*Mir ist es recht – unter einer Bedingung, ... daß Sie uns einladen und sich von uns helfen lassen, die Party richtig vorzubereiten.*
S.:	Certainly. I'm so glad you like the idea. He's such a nice old man, even though he's a bit short-tempered sometimes. He's always kind to me.	*Aber sicher. Ich bin ja so froh, daß Ihnen die Idee gefällt. Er ist so ein netter alter Herr, auch wenn er manchmal ein bißchen leicht gereizt ist. Er ist immer freundlich zu mir.*
C.:	I like him, too.	*Ich mag ihn auch gern.*
W.:	I couldn't do without him. He's a wonderful old man.	*Ich könnte ohne ihn nicht auskommen. Er ist ein prächtiger alter Mann.*
S.:	He often talks to me about the old days, when he first started work with the firm. He always insists that the firm published its best books in the old days, and he says the pace of living was so much slower then – he says	*Er erzählt mir oft von den alten Zeiten, als er seine Arbeit bei der Firma begann. Er behauptet steif und fest, die Firma habe früher ihre besten Bücher herausgebracht, und er sagt, damals wäre alles viel langsamer gegangen — früher hätte er das Leben*

	he used to enjoy life much more, before the television.	*viel mehr genossen, ehe das Fernsehen kam.*
W.:	He's very old-fashioned.	*Er ist recht altmodisch.*
C.:	But very charming. I can understand it when he says that the good old days were the best.	*Aber ganz reizend. Ich kann es verstehen, wenn er sagt, in der guten alten Zeit war es am besten.*
W.:	Well, we'll celebrate those, too, at our little party. Connie, leave that proof-reading for a while, and go out and buy a few things while Sally and I get all our work done.	*Wir werden die also auch feiern bei unserer kleinen Party. Connie, laß das Korrekturlesen eine Weile sein und gehe ein paar Sachen einkaufen, während Sally und ich inzwischen unsere Arbeit erledigen.*
C.:	I'd love to! I always enjoy shopping for a party!	*Sehr gern! Es macht mir immer soviel Freude, für eine Party einzukaufen!*
S.:	Shhh! I think Mr. Catchpole is coming!	*Pst! Ich glaube, Mr. Catchpole kommt!*
Catchpole:	Er – Mr. Jones? Have you seen Sally? Oh, there you are! Are you having a conference?	*Äh – Mr. Jones? Haben Sie Sally gesehen? Ach, da sind Sie ja! Halten Sie gerade eine Konferenz ab?*
W.:	Nothing to do with business, Mr. Catchpole. Just a little personal matter.	*Nichts Geschäftliches, Mr. Catchpole. Nur eine kleine private Angelegenheit.*
Ca.:	Oh, I'm sorry if I interrupted.	*O, tut mir leid, wenn ich gestört habe.*
W.:	Don't apologize. But I think I ought to warn you that you may be involved.	*Keine Entschuldigung! Aber ich denke, ich sollte Sie darauf hinweisen, daß es Sie vielleicht auch angeht.*
Ca.:	Involved? Is there some trouble?	*Mich angeht? Ist irgend etwas nicht in Ordnung?*
W.:	I think it would be better if I told you later.	*Ich glaube, es wäre besser, wenn ich es Ihnen später erzählte.*
Ca.:	Oh dear, I hope it isn't anything I've done.	*O je, hoffentlich ist es nicht irgend etwas, was ich getan habe.*
W.:	Mr. Catchpole, what would you say if I told you it was something you'd done?	*Mr. Catchpole, was würden Sie sagen, wenn es doch etwas wäre, was Sie getan haben?*
Ca.:	Oh dear, whatever can it be?	*O je, was kann das nur sein?*

Words and Phrases

proof-reading *Korrekturlesen*
[prū'frīding]

Simon *männl. Vorname*
[ßai'mᵉn]

Pebble [pe'bl] *Familienname*

combine *(miteinander)*
[kᵉmbai'n] *verbinden*

pleasure *Vergnügen*
[ple'Qᵉ]

mysterious *geheimnisvoll*
[mißtie'rieß]

secret [ßī'krit] *Geheimnis*

keep it a secret *es geheimhalten*

in a way *in gewisser*
Weise,
eigentlich

intrigue *verblüffen,*
[intrī'g] *erstaunen*

congratulate *gratulieren, be-*
[kᵉngrä'tjuleit] *glückwünschen*

present *Geschenk*
[pre'snt]

surprise *Überraschung*
[ßöprai's]

give a p. a *j-n überraschen,*
surprise *j-m eine Über-*
raschung be-
reiten

celebration *Feier*
[ßelibrei'schᵉn]

condition *Bedingung*
[kᵉndi'schᵉn] [*dingung*⟩

on one condition *unter einer Be-*⟨
invite [inwai't] *einladen*

even though *selbst wenn,*
[ī'wᵉn ðou] *wenn auch*

short-tempered *reizbar,*
[schŏ'tte'mpᵉd] *aufbrausend*

pace [peiß] *Schritt*

pace of living *Tempo des*
Lebens, Tempo
der Zeit

celebrate *feiern*
[ße'libreit]

conference *Konferenz,*
[ko'nfᵉrᵉnß] *Besprechung*

interrupt *unterbrechen,*
[intᵉra'pt] *stören*

Explanations

Die indirekte Rede (I)

(vgl. nebenstehende Übersicht)

Steht bei der indirekten Rede das *Verb des übergeordneten Satzes* (z. B.: *He says*) in einer *Zeit der Gegenwart* (Präsens, Perfekt, Futur I und II), so steht das *Verb im abhängigen Satz* (z. B. *[that] Mr. Catchpole is coming)* in der *Zeit*, in der es auch in *der direkten Rede* stehen würde. (1–8)

Vor der *indirekten Rede* steht *kein Komma*. (1–8)

Wenn der Sinn des Satzes *es erfordert, verändert sich das Subjekt* des abhängigen Satzes in der indirekten Rede gegenüber dem Subjekt in der direkten Rede (vgl. 3) wie im Deutschen:

He (= Mr. Catchpole) says: "*I* (= Mr. Catchpole) used to ..."
He (= Mr. Catchpole) says *he* (= Mr. Catchpole) used to ...

Direkte Rede		Indirekte Rede	
He says:	"The pace of living *was* so much slower." (1) "The good old days *were* the best." (2) "*I used* to enjoy life much more." (3)	He says	(that) the pace of living *was* so much slower. (1) (that) the good old days *were* the best. (2) (that) he *used* to enjoy life much more. (3)
I think:	"Mr. Catchpole *is coming*." (4) "I *ought to* warn you." (5) "It *would be* better." (6)	I think	(that) Mr. Catchpole *is coming*. (4) (that) I *ought to* warn you. (5) (that) it *would be* better. (6)
I hope:	"It *isn't* anything I have done." (7)	I hope	(that) it *isn't* anything I have done. (7)
I must say:	"*I'm* intrigued." (8)	I must say	(that) *I'm* intrigued.

21ˢᵗ Lesson

Am selben Nachmittag fünf Minuten vor fünf in Walters Büro.

Connie: Walter, it's nearly five o'clock. When are you going to call Mr. Catchpole?

Walter, es ist fast fünf Uhr. Wann willst du Mr. Catchpole hereinrufen?

Walter: As soon as everything's ready. – How's it going, Sally? Nearly finished?

Sobald alles fertig ist. – Wie geht es voran, Sally? Bald fertig?

Sally: Yes – does this look all right?

Ja – sieht es so richtig aus?

C.: It looks wonderful! He'll like it, I'm sure! Don't you think so, Walter?

Es sieht wundervoll aus! Es wird ihm bestimmt gefallen! Findest du nicht auch, Walter?

W.: I think it looks marvellous, you've arranged it beautifully, Sally. And the cake and trifle – it all looks splendid!

Ich finde, es sieht großartig aus, Sie haben es schön hergerichtet, Sally. Und der Kuchen und Biskuitauflauf – es sieht alles prächtig aus!

S.: I hope he likes it. Oh – you did say you'd remembered the coffee, Mrs. Jones?

Hoffentlich gefällt es ihm. Ach – Sie haben doch gesagt, Sie hätten an den Kaffee gedacht, Mrs. Jones?

C.: Yes, it's in the other office.

Ja, er ist im anderen Büro.

W.: Good, then I think we're ready to call him in.

Gut, ich glaube, wir sind dann soweit, daß wir ihn hereinrufen können.

S.: I'm sure he thought something terrible had happened when you said you wanted to speak to him about something he'd done!

Er hat bestimmt gedacht, es sei etwas Schlimmes passiert, als Sie sagten, Sie wollten mit ihm über etwas sprechen, was er getan hätte.

C.: Walter, you won't stretch the joke too far, will you? I don't really want him to worry. You mustn't let him take you too seriously.

Walter, du wirst doch den Spaß nicht zu weit treiben, nicht? Ich möchte wirklich nicht, daß er sich beunruhigt. Du darfst es nicht zulassen, daß er es zu ernst nimmt.

W.: I won't, Connie, I promise.

Bestimmt nicht, Connie, ich verspreche es.

C.: But supposing he says he

Aber angenommen er sagt, er

thought you meant it?	*hätte gedacht, du meinst es ernst?*
W.: Then I shall explain, and say I'm sorry – it was just a joke. Let's get him to come up now, Sally, will you tell him?	*Dann werde ich alles erklären und sagen, daß es mir leid tut – es war nur ein Spaß. Lassen wir ihn doch jetzt heraufkommen, Sally, wollen Sie es ihm sagen?*
S.: Yes. Where is he now, do you know?	*Ja. Wo ist er jetzt, wissen Sie es?*
W.: He should be in the printing works. Use the phone intercom.	*Er müßte in der Druckerei sein. Benutzen Sie doch die Sprechanlage.*
S.: I will ... Hallo? Printing works, can I speak to Mr. Catchpole, please?	*Das werde ich tun ... Hallo? Druckerei, kann ich bitte Mr. Catchpole sprechen?*

Mit der Hand über der Sprechmuschel:

They say he just went out ... Oh ... he's back again ... Mr. Catchpole, Mr. Jones would like to see you in his office, immediately. Yes, thank you, Mr. Catchpole.	*Sie sagen, er ist gerade 'rausgegangen ... O, da ist er wieder ... Mr. Catchpole, Mr. Jones würde Sie gern gleich in seinem Büro sprechen. Ja, danke, Mr. Catchpole.*
C.: Is he coming?	*Kommt er?*
S.: Yes, straight away. Stand in front of the table, to hide everything!	*Ja, sofort. Stellen Sie sich vor den Tisch, um alles zu verdekken!*
W.: Now for his big surprise ...	*Jetzt kommt die große Überraschung für ihn ...*

Es klopft an der Tür:

Come in!	*Herein!*
Catchpole: You wanted to see me, Mr. Jones?	*Sie wollten mich sprechen, Mr. Jones?*
W.: I did.	*Ja.*
Ca.: Is something wrong?	*Ist irgend etwas nicht in Ordnung?*
W.: No, Mr. Catchpole, it isn't. We want to wish you a happy birthday! Congratulations!	*Nein, Mr. Catchpole, das ist's nicht. Wir möchten Sie zum Geburtstag beglückwünschen! Ich gratuliere!*
C.: Many happy returns, Mr. Catchpole!	*Noch viele glückliche Jahre, Mr. Catchpole!*

S.: Happy birthday, Mr. Catchpole!	*Alles Gute zum Geburtstag, Mr. Catchpole!*
Ca.: Well, I never! You were playing a trick on me!	*Also, das hätte ich nie erwartet. Sie haben mich 'reingelegt.*
W.: You weren't offended, were you?	*Sie haben es doch nicht übelgenommen, nicht?*
Ca.: Offended – no! But will you believe me when I say I felt guilty?	*Übelgenommen – nein! Aber werden Sie mir glauben, wenn ich sage, daß ich ein schlechtes Gewissen hatte?*
C.: Guilty, Mr. Catchpole? But what have you got to hide?	*Ein schlechtes Gewissen, Mr. Catchpole? Was haben Sie denn zu verbergen?*

Ca.: This!	*Dies hier!*
W.: A bottle of champagne! What a surprise!	*Eine Flasche Sekt! Was für eine Überraschung!*
Ca.: But it's not for my birthday. There happens to be an-	*Die ist aber nicht für meinen Geburtstag. Zufällig ist gerade*

W.:	other great occasion that falls on this very day. Another, older anniversary, that I am proud to celebrate.	*heute noch ein anderer wichtiger Anlaß. Ein noch älterer Jahrestag, den zu feiern ich stolz bin.*
W.:	Another anniversary? Celebrating what?	*Noch ein Jahrestag? Feiern – was?*
Ca.:	The founding of the firm, ninety-five years ago, to the day! You see, my birthday falls on the same day that this firm came into being – you didn't know that, did you?	*Die Gründung der Firma vor 95 Jahren, auf den Tag genau! Sie sehen, mein Geburtstag fällt mit dem Tag zusammen, an dem diese Firma gegründet wurde – das haben Sie nicht gewußt, stimmt's?*
W.:	No! What a coincidence!	*Nein. Was für ein Zufall!*
C.:	I'm not sure that the cake is big enough to celebrate something as big as that!	*Ich weiß nicht recht, ob der Kuchen überhaupt groß genug ist, etwas so Wichtiges zu feiern!*
Ca.:	It's a splendid cake, but before we enjoy it, let us open this bottle and raise our glasses in a toast.	*Es ist ein prächtiger Kuchen, aber ehe wir ihn genießen, wollen wir diese Flasche aufmachen und unsere Gläser zu einem Trinkspruch erheben.*
S.:	Here are some glasses!	*Hier sind Gläser!*
Ca.:	Let me pour ... there we are. Now, Mr. Jones, may I have the honour of proposing this toast?	*Lassen Sie mich einschenken ... so. Also, Mr. Jones, darf ich um die Ehre bitten, diesen Trinkspruch auszubringen?*
W.:	You are certainly the best man to do it, Mr. Catchpole.	*Dafür sind Sie bestimmt der Richtige, Mr. Catchpole.*
Ca.:	To the great past, and splendid future of the Alpha Publishing Company!	*Auf die große Vergangenheit und die großartige Zukunft des Alpha-Verlags!*
Everyone:	And Mr. Catchpole! Cheers!	*Und auf Mr. Catchpole! Prost!*

Words and Phrases

cake [keik]	*Kuchen*	stretch the joke too far	*den Scherz zu weit treiben*
trifle [trai'fl]	*Biskuitauflauf*	suppose [ßᵉpou's]	*vermuten, annehmen*
stretch [ßtretsch]	*strecken, ausdehnen*	supposing	*angenommen (etw. sei der Fall)*
joke [dǫouk]	*Scherz, Spaß, Witz*		

mean [mīn], meant, meant [ment]	meinen; bedeuten	champagne [schämpei′n]	Sekt
		there happens to be	zufällig ist
I mean it	ich meine es ernst		
intercom [i′ntᵉkom]	Gegen-, Wechsel-sprechanlage	occasion [ᵉkei′Gᵉn]	Gelegenheit, Anlaß
		anniversary [äniwö′ßᵉri]	Jahrestag, Wiederkehr
congratulation [kᵉngrätjulei′-schᵉn]	Gratulation, Glückwunsch	found [faund] to the day	gründen auf den Tag (genau)
congratulations!	ich gratuliere! herzlichen Glückwunsch!	come into being	entstehen, gegründet werden
many happy returns!	(noch) viele glückliche Jahre!	coincidence [koui′nßidᵉnß]	Zusammen-treffen, Zufall
play a trick on a. p.	j-m einen Streich spielen, j-n'reinlegen	raise [reis]	erheben, hochheben
		toast [toußt]	Trinkspruch, Toast
offend [ᵉfe′nd]	beleidigen, kränken	pour [pō]	(ein-, aus)gießen, -schenken
be offended	beleidigt sein, übelnehmen	propose [prᵉpou′s]	vorschlagen
guilty [gi′lti]	schuldig	propose a toast	einen Trinkspruch ausbringen
feel guilty	sich schuldig fühlen, ein schlechtes Gewissen haben	cheers! [tschiᵉs]	prost!, zum Wohl!

Explanations

Die indirekte Rede (II)

(vgl. nebenstehende Übersicht)

Satz 1–4 vgl. 20th Lesson.

Steht das *Verb des übergeordneten Satzes* im *Präteritum,* im *Plusquamperfekt oder* im *Konditional,* so steht das *Verb im abhängigen Satz* ebenfalls *in einer dieser Zeiten.* (5–10)

Aus dem *Präsens* in der *direkten Rede* wird in der *indirekten Rede* das *Präteritum*; (5–7, 10)
aus dem *Präteritum* der *direkten Rede* wird in der *indirekten Rede* das *Plusquamperfekt.* (8, 9)

Das in Lektion 20 über das Fehlen des Kommas und über die Veränderung des Subjekts Gesagte gilt auch hier.

Direkte Rede		Indirekte Rede	
They say:	"He just *went* out." (1)	They say	(that) he just *went* out. (1)
I think:	"It *looks* marvellous." (2) "We *are* ready." (3)	I think	(that) it *looks* marvellous. (2) (that) we *are* ready. (3)
I hope:	"He *likes* it." (4)	I hope	(that) he *likes* it. (4)
He said:	"*I feel* guilty." (5)	He said	(that) *he felt* guilty. (5)
I thought:	"You *mean* it." (6)	I thought	(that) you *meant* it. (6)
You said:	"*I want* to speak to him." (7)	You said	(that) *you wanted* to speak to him. (7)
He thought	"Something *happened*." (8)	He thought	(that) something *had happened*. (8)
You said:	"*I remembered* the coffee." (9)	You said	(that) *you had remembered* the coffee. (9)
She was not sure:	"*Is* the cake big enough?" (10)	She was not sure	(that) the cake *was* big enough. (10)

22nd Lesson

Connie kommt allein zum Frühstück herunter.

Connie: Good morning, Jeanne. *Guten Morgen, Jeanne.*

Jeanne: Good morning, madame. Is Mr. Jones not well? *Guten Morgen, Madame. Geht es Mr. Jones nicht gut?*

C.: He is very tired, Jeanne, please don't wake him. I want him to have a rest. *Er ist sehr müde, Jeanne, bitte wecken Sie ihn nicht auf. Ich möchte, daß er sich ausruht.*

J.: You are sure it doesn't matter if he is late? *Sind Sie sicher, daß es nichts ausmacht, wenn er zu spät kommt?*

C.: Quite sure. Yesterday he said he'd done all his important work for today, and would have a very easy morning. *Ganz sicher. Er hat gestern gesagt, daß er alle wichtige Arbeit für heute erledigt hat und einen sehr angenehmen Vormittag haben würde.*

J.: But when he wakes up, he may be angry. What if he says he'd (he would) have gone if we'd (we had) woken him? *Aber vielleicht ist er doch ärgerlich, wenn er aufwacht. Was ist, wenn er sagt, er wäre gegangen, wenn wir ihn geweckt hätten?*

C.: Then I shall take the blame – but I know I'm right. He worked hard yesterday, and he deserves a rest, especially as the baby kept him awake most of the night. *Dann nehme ich alle Schuld auf mich – aber ich habe schon recht. Er hat gestern schwer gearbeitet, und er verdient ein wenig Ruhe, besonders weil ihn das Baby den größten Teil der Nacht wach gehalten hat.*

J.: It will be better when the baby's teeth come through. *Das wird besser sein, wenn erst mal des Babys Zähne durch sind.*

C.: He is taking a long time to cut his teeth. *Es dauert lange bei ihm, bis es Zähne bekommt.*

J.: In the meantime, poor Mr. Jones must suffer. *Inzwischen muß der arme Mr. Jones leiden.*

C.: Poor Walter! Fathers aren't used to suffering. That's why I feel so sorry for him. So we must be quiet, and let him sleep as long as he wants to. *Armer Walter! Väter sind nicht gewohnt zu leiden. Deshalb tut er mir so leid. Wir müssen also leise sein und ihn so lange schlafen lassen, wie er will.*

Das Telefon klingelt.

Oh dear! That'll wake him up!

O je! Das wird ihn noch aufwecken!

J.: I had better answer it. Hallo – Mr. Jones's house.

Ich gehe lieber dran. Hallo – hier bei Mr. Jones.

C.: Who is it?

Wer ist es?

J.: Oh, it is the office – the secretary. She says she is very worried.

Ach, es ist das Büro – die Sekretärin. Sie sagt, sie sei sehr besorgt.

C.: Sally? Why is she worried? Give me the phone, and I'll speak to her . . . Thank you . . . Sally? Mrs. Jones here – what's the matter – why are you worried? – Oh! She says that Walter should be at the office! He has an important appointment in twenty minutes!

Sally? Weswegen ist sie besorgt? Geben Sie es mir, ich will mit ihr sprechen . . . Danke . . . Sally? Hier Mrs. Jones – was ist los – Was macht Ihnen Sorge? – Ach, sie sagt, Walter sollte schon im Büro sein! Er hat in zwanzig Minuten eine wichtige Verabredung!

J.: But he cannot get to the office in twenty minutes! He is still asleep!

Aber in zwanzig Minuten kann er es nicht bis zum Büro schaffen! Er schläft ja noch!

C.: Sally – can't the man wait? The problem is that Walter has overslept – he can't possibly get to you in time. – She says the agent will have wasted his time if Walter doesn't appear – he'll probably lose the business!

Sally, kann der Mann nicht warten. Die Schwierigkeit ist nämlich, daß Walter verschlafen hat – er kann unmöglich rechtzeitig zu Ihnen kommen. – Sie sagt, der Agent hätte nur seine Zeit verschwendet, wenn Walter nicht erscheint – aus dem Geschäft würde dann wahrscheinlich nichts werden!

J.: Oh, Madame, he will be furious! To lose the business of an important client!

O, Madame, er wird wütend sein! Das Geschäft mit einem wichtigen Kunden zu verlieren!

C.: Sally, is there nothing we can do? Can't the agent sign the contract without Walter? . . . Oh dear . . . Oh, he has it here at home?

Sally, können wir denn da gar nichts tun? Kann der Agent den Vertrag nicht ohne Walter unterschreiben? . . . O je . . . Ach, er hat ihn hier zu Hause?

J.: Then it is impossible!

Dann ist es unmöglich!

C.: Wait a minute. Sally, do you think the agent has started

Warten Sie einen Moment. Sally, glauben Sie, daß der Agent

from his own office yet? – She says he won't have gone if we hurry. – Don't worry, Sally, I have an idea!	*schon aus seinem Büro fortge-gangen ist? – Sie sagt, er wird noch da sein, wenn wir uns be-eilen. – Machen Sie sich keine Sorgen, Sally – ich habe eine Idee!*		

C.: Give me his phone number and I'll speak to him my-self. Thanks – goodbye!   *Geben Sie mir seine Telefon-nummer, ich werde selbst mit ihm sprechen. Danke – auf Wiedersehen!*

J.: Madame, what are you go-ing to do?   *Madame, was haben Sie vor?*

C.: Just wait until I have made this telephone call, Jeanne, then you'll see.   *Warten Sie nur, bis ich telefo-niert habe, Jeanne, dann werden Sie schon sehen.*

Words and Phrases

I am (not) well	*ich fühle mich (nicht) wohl, mir geht es (nicht) gut*
tired [tai'ᵉd]	*ermüdet, müde*
wake [ωeik], woke [ωouk], woken [ωou'kᵉn] (auch regelmäßig)	*(auf)wecken; aufwachen*
wake up	*aufwachen*
blame [bleim]	*Tadel, Vorwurf, Schuld*
take the blame	*die Schuld auf sich nehmen*
deserve [disð'w]	*verdienen, ver-dient haben*
awake [ᵉωei'k]	*wach*
cut one's teeth	*Zähne bekommen*
(in the) mean-time [mĭ'ntai'm]	*inzwischen*

suffer [ßa'fᵉ]	*(er)leiden, (er)dulden*
that's why	*deshalb*
I feel sorry for him	*er tut mir leid*
Mr. Jones's house	*hier bei Mr. Jones (am Telefon)*
oversleep [ou'wᵉßlī'p], overslept, overslept [ou'wᵉßle'pt]	*(die Zeit) ver-schlafen*
in time	*rechtzeitig*
waste [ωeißt]	*verschwenden, -geuden*
appear [ᵉpi'ᵉ]	*erscheinen*
he loses the business	*ihm entgeht das Geschäft*

Explanations

Das Futur II (I)

Wie im Deutschen gibt es im Englischen neben dem Futur I (vgl. 14th Lesson) ein Futur II.

The agent *will have wasted* his time.   *Der Agent wird (nur) seine Zeit verschwendet haben.*

124

He *won't have gone* if we hurry.   *Er wird noch nicht fort sein,
wenn wir uns beeilen.*

Das *Futur II* wird mit *shall bzw. will* + *have* + *Partizip Perfekt* gebildet:

(In *Klammern* die in der *Umgangssprache* bevorzugte *Kurzform*)

I	will *od.* shall	(I'll)	
you	will	(you'll)	
he, she, it	will	(he'll, she'll, it'll)	have gone
we	will *od.* shall	(we'll)	
they	will	(they'll)	

I	will not / shall not	(I won't / shan't)	
you	will not	(you won't)	
he, she, it	will not	(he, she, it won't)	have gone
we	will not / shall not	(we won't / shan't)	
they	will not	(they won't)	

won't [ωount], shan't [schānt]

23rd Lesson

Connie ist hinaufgegangen, um Walter zu wecken.

Connie: Walter – Walter! Wake up! Oh, do wake up!

Walter – Walter! Wach' auf! Wach doch nur auf!

Walter: What? What's the matter – why are you shaking me? Is it breakfast time?

Was? Was ist los – warum rüttelst du mich so? Ist es schon Zeit zum Frühstück?

C.: Walter, look at the time, it's late! You must hurry.

Walter, sieh doch, wie spät es ist, es ist schon spät! Du mußt dich beeilen.

W.: Time? What time is it? Good heavens! Look at the time! I'm terribly late! That agent – he'll have called and found nobody in! This is terrible! Why did you let me sleep so late, Connie?

Spät? Wie spät ist es denn? Um Himmels willen! Sieh nur, wie spät es schon ist! Ich habe mich schrecklich verspätet! Der Agent – er wird dagewesen sein und niemanden angetroffen haben! Das ist schrecklich! Warum hast du mich so lange schlafen lassen, Connie?

C.: Calm down, Walter, everything is going to be all right. You have at least ten minutes before your appointment.

Beruhige dich nur, Walter, es geht schon alles in Ordnung. Du hast noch wenigstens zehn Minuten bis zu deiner Verabredung.

W.: At least ten minutes? How on earth am I going to get to the office in ten minutes – let alone make myself presentable?

Wenigstens zehn Minuten? Wie, um alles in der Welt, soll ich in zehn Minuten ins Büro kommen – ganz abgesehen davon, daß ich mich noch zurechtmachen muß?

C.: Walter, I told you everything is all right. Now please start getting up while I explain.

Walter, ich hab' dir doch gesagt, alles ist in Ordnung. Steh jetzt bitte auf, während ich es dir erkläre.

W.: But, Connie ...

Aber Connie ...

C.: Walter, get dressed!

Walter, zieh dich an!

W.: Very well, tell me the worst.

Na gut, erzähle nur, ich bin auf das Schlimmste gefaßt.

C.: I let you sleep on, because you had such a terrible night. Jeanne was worried,

Ich habe dich weiterschlafen lassen, weil du eine so schreckliche Nacht hattest. Jeanne war be-

but I said you would have told me if you'd had anything urgent to do at the office. So I thought it was all right to let you sleep on.

W.: But I had this important appointment – with Mr. Peters, the agent, to sign the contract for his client's next book!

C.: You still can.

W.: He'll be furious! He hates wasting time on anything!

C.: Walter, you aren't listening. I said you can sign the contract, even now.

sorgt, aber ich habe gesagt, du hättest es mir gesagt, wenn du etwas Dringendes im Büro zu tun gehabt hättest. Darum glaubte ich, ich könnte dich ruhig weiterschlafen lassen.

Aber ich hatte doch diese wichtige Verabredung – mit Mr. Peters, dem Agenten, um den Vertrag für das nächste Buch seines Klienten zu unterschreiben!

Das kannst du ja immer noch tun.

Er wird wütend sein! Er kann es nicht ausstehen, für irgend etwas Zeit zu verschwenden!

Walter, du hörst mir nicht zu. Ich habe gesagt, du kannst den Vertrag auch jetzt noch unterschreiben.

127

W.: But I can't possibly get to the office in time! And the contract is no good unless Mr. Peters signs it.

Aber ich kann doch unmöglich rechtzeitig ins Büro kommen! Und der Vertrag nützt nichts, wenn Mr. Peters ihn nicht unterschreibt.

C.: I know. That's why I asked him to come here.

Das weiß ich ja. Deshalb habe ich ihn gebeten, hierher zu kommen.

W.: What? You asked him to come here?

Was? Du hast ihn gebeten, hierher zu kommen?

C.: He was very pleased. He liked the idea. He said he'd (he would) have welcomed the idea if you'd (you had) suggested it in the first place. He thinks it very pleasant to do business in informal surroundings, like your study.

Es war ihm sehr angenehm. Der Gedanke gefiel ihm. Er hat gesagt, es wäre ihm sehr lieb gewesen, wenn du das gleich vorgeschlagen hättest. Er findet es sehr angenehm, Geschäfte in zwangloser Atmosphäre abzuschließen, wie hier in deinem Arbeitszimmer!

W.: Does he? – But this is wonderful! How clever of you, Connie!

So? – Das ist ja wunderbar! Wie geschickt von dir, Connie!

Das Au-pair-Mädchen meldet den Besucher an.

Jeanne: The gentleman to see Mr. Jones has arrived. I have taken him to the study, madame.

Der Herr, der Mr. Jones sprechen möchte, ist da. Ich habe ihn ins Arbeitszimmer geführt, Madame.

C.: Walter, are you ready?

Walter, bist du fertig?

W.: Yes, but I'm very hungry, too. I haven't had any breakfast!

Ja, aber ich habe auch großen Hunger. Ich habe noch nicht gefrühstückt!

J.: I have made coffee, it is ready to bring in to you, when you are ready.

Ich habe Kaffee gemacht, er ist fertig und kann Ihnen gleich hereingebracht werden, wenn Sie so weit sind.

W.: Oh, I need it! You're both being so helpful, I can't thank you enough.

O, ich brauche ihn! Ihr seid beide so hilfsbereit, ich kann euch gar nicht genug danken.

C.: Walter, you're wasting time. Do go in to see Mr. Peters.

Walter, du vertrödelst die Zeit. Geh zu Mr. Peters hinein.

W.: Very well. Wish me luck.

Also gut. Haltet mir die Daumen!

Er geht hinunter in sein Arbeitszimmer.

Ah, good morning, Mr. Peters, so sorry to keep you waiting.

Ah, guten Morgen, Mr. Peters, tut mir leid, daß ich Sie warten ließ.

Peters: Not at all, Mr. Jones, I was admiring your study. It's a very attractive room, and I'm very glad you invited me here for our little meeting!

Aber nicht doch, Mr. Jones, ich habe Ihr Arbeitszimmer bewundert. Es ist ein sehr hübsches Zimmer, und ich freue mich sehr, daß Sie mich zu unserer kleinen Besprechung hierher gebeten haben.

W.: I thought it would make a pleasant change from the usual dull office routine. I'm glad you like it.

Ich dachte, es wäre eine angenehme Abwechslung von der üblichen langweiligen Büroroutine. Es freut mich, daß es Ihnen hier gefällt.

P.: To tell the truth, coming here saved me from an embarassment. When your wife phoned, I wasn't at the office. My secretary took the message. As a matter of fact, I'd (I would) never have arrived at your office in time if you'd (you had) the meeting there – you see, I was still at home.

Um die Wahrheit zu sagen, daß ich hierher gekommen bin, hat mich aus einer Verlegenheit gerettet. Als Ihre Frau anrief, war ich gar nicht im Büro. Meine Sekretärin hat die Mitteilung entgegengenommen. Tatsächlich wäre ich niemals pünktlich in Ihr Büro gekommen, wenn wir uns dort getroffen hätten – ich war nämlich noch zu Hause.

W.: Still at home? Then how ...

Noch zu Hause? Wie sind Sie denn dann ...

P.: It's a terrible confession – but I overslept. I came straight here from my home. I'd (I would) have had to cancel our appointment if I hadn't come direct. I feel terrible about it.

Es ist schlimm, das gestehen zu müssen – aber ich habe die Zeit verschlafen. Ich bin direkt von zu Hause hierher gekommen. Ich hätte unsere Verabredung absagen müssen, wenn ich nicht direkt hierher gekommen wäre. Das ist mir sehr peinlich.

W.: Mr. Peters, I know just how you feel! But it's (it has) all worked out for the best – and I think we'd (we would) both enjoy a good strong cup of coffee, don't you?

Mr. Peters, ich weiß genau, wie Ihnen zumute ist! Aber es ist ja nun alles gut gegangen – und ich glaube, eine Tasse guter, starker Kaffee wird uns beiden guttun, nicht?

129

Words and Phrases

shake [scheik], *schütteln,*
shook [schuk], *rütteln*
shaken
[schei'k^en]

look at the time *sieh, wie spät es ist*

good heavens! *ach du lieber Himmel! um Himmels willen!*

let alone *geschweige denn;*
[^elou'n] *abgesehen davon, daß*

presentable *präsentabel,*
[prise'nt^ebl] *anständig angezogen*

urgent [ŏ'dɢ^ent] *dringend*

client [klai'^ent] *Klient, Kunde*

suggest *vorschlagen*
[s^edɢe'ßt]

in the first place *an erster Stelle, zuerst*

informal *zwanglos, nicht*
[infõ'ml] *förmlich*

surroundings *Umgebung*
[ß^erau'ndings]
(*Plur.*)

the gentleman *der Herr, der*
to see *Mr. Jones spre-*
Mr. Jones *chen möchte*

helpful *hilfreich, nütz-*
[he'lpful] *lich*

wish me luck *wünsche mir Glück!, halte mir die Daumen!*

admire *bewundern*
[^edmai'^e]

attractive *anziehend, reiz-*
[^eträ'ktiw] *voll, hübsch*

dull [dal] *langweilig*

routine *Routine, mecha-*
[rūtī'n] *nische Arbeit*

save [ßeiw] *retten vor | aus*
from

embarrassment *Verlegenheit*
[imbä'r^eßm^ent]

message *Mitteilung,*
[me'ßidɢ] *Nachricht*

confession *Bekenntnis,*
[k^enfe'sch^en] *Geständnis*

cancel *streichen,*
[kä'nß^el] *widerrufen, absagen*

Explanations

Das Futur II (II)

He'*ll have called* and found nobody in.   *Er wird dagewesen sein und niemanden angetroffen haben.*

Das *Futur II* dient – wie im Deutschen – zum Ausdruck einer *Handlung*, die zu einem bestimmten *Zeitpunkt der Zukunft abgeschlossen* sein wird.

Häufig dient es zum Ausdruck einer *Vermutung* von etwas, das geschehen sein wird:

He'*ll have called* and found nobody in.   *Vermutlich ist er dagewesen und hat niemanden angetroffen.*

The agent *will have wasted* his time.   *Der Agent hat vermutlich nur seine Zeit verschwendet.*

He *won't have gone* if we hurry.   *Wenn wir uns beeilen, ist er sicher noch nicht fortgegangen.*

In Sätzen, die ein zeitliches Verhältnis ausdrücken (Temporalsätzen) wird das schwerfällige *Futur II*, wie im Deutschen, häufig *durch* das *Perfekt ersetzt:*

They *(will) have called* when we were not at home.	*Sie sind dagewesen, als wir nicht zu Hause waren.*

Das ist jedoch nur dann möglich, wenn nicht eine Vermutung, sondern eine *Gewißheit* ausgedrückt werden soll.

24th Lesson

Es ist Samstagmorgen, die Sonne scheint, und Walter und Connie beenden gerade ihr Frühstück.

Connie: Isn't it a lovely day, Walter? — *Ist es nicht ein schöner Tag, Walter?*

Walter: It is, Connie. — *Ja, Connie.*

C.: Just the kind of day to be out of doors. — *So richtig ein Tag, um draußen zu sein.*

W.: That's a good idea! Let's go for a drive into the country – we can have a picnic! — *Das ist ein guter Gedanke! Wir wollen aufs Land fahren – wir können picknicken!*

C.: No, Walter. — *Nein, Walter.*

W.: But why not? You said yourself it was a perfect day! Gordon ought to be given the chance to see the countryside, too – it's lovely at this time of the year. — *Aber warum denn nicht? Du hast doch selbst gesagt, daß es der richtige Tag dazu ist. Gordon sollte auch mal Gelegenheit haben, das Land zu sehen – es ist zu dieser Jahreszeit so schön draußen.*

C.: So is the garden, Walter. — *Im Garten ist es auch schön, Walter.*

W.: The garden? — *Im Garten?*

C.: Do you think the garden looks pleasant – at this time of year? — *Findest du, der Garten sieht hübsch aus – zu dieser Jahreszeit?*

W.: I haven't thought about it. — *Ich habe noch nicht darüber nachgedacht.*

C.: That's what I mean – it hasn't been touched for weeks! — *Genau das meine ich – es ist wochenlang nichts daran gemacht worden!*

W.: I don't like a garden that looks like an engineer's drawing. It looks better when it's allowed to grow naturally. — *Ich mag keinen Garten, der wie eine technische Zeichnung aussieht. Er sieht viel besser aus, wenn man ihn natürlich wachsen läßt.*

C.: If weeds are allowed to grow all over the place, you can't call it a garden – it becomes a wilderness! — *Wenn man überall Unkraut wachsen läßt, kann man es nicht mehr Garten nennen – es wird eine Wildnis daraus.*

W.: I don't think it's as bad as that. — *Ich denke, so schlimm ist es nun auch wieder nicht.*

C.: Walter! — *Walter!*

W.: Well, maybe there are one or two weeds growing here and there. — *Na schön, vielleicht wächst hier und da ein bißchen Unkraut.*

C.: And what about the hedges? They need doing. — *Und wie ist es mit den Hecken? Die müssen auch mal gemacht werden.*

W.: Perhaps they should be cut. — *Man sollte sie vielleicht mal schneiden.*

C.: And the lawns – are they going to do themselves? — *Und der Rasen – macht der sich vielleicht von selber?*

W.: I'll admit the grass has been left uncut for one or two weeks. — *Ich geb' ja zu, das Gras ist ein paar Wochen nicht gemäht worden.*

C.: Oh, Walter, it has needed cutting for a month or more! — *Ach Walter, es muß schon seit einem Monat oder länger gemäht werden!*

W.: Well, you know how busy I have been. — *Du weißt doch, wieviel ich zu tun gehabt habe.*

C.: A great deal of clearing up has to be done, there are several plants which are dead and have to be cut back, in fact, you can have a splendid bonfire! Surely that will be fun for you? — *Es muß so viel in Ordnung gebracht werden, mehrere Pflanzen sind abgestorben und müssen zurückgeschnitten werden, wirklich, du kannst ein herrliches Feuer damit machen! Das macht dir doch bestimmt Spaß?*

W.: I don't want a bonfire. — *Ich brauche kein Freudenfeuer.*

C.: Well, we're not going out to the country! — *Also, wir fahren jedenfalls nicht aufs Land!*

W.: Perhaps I could do a bit at a time. — *Vielleicht könnte ich immer mal ein bißchen tun.*

C.: Walter, I want it done properly. — *Walter, ich möchte, daß es ordentlich gemacht wird.*

W.: Gardening is hard work. — *Gartenarbeit ist schwere Arbeit.*

C.: A bit of hard work would do you good, sitting behind a desk all day is making you lazy – and fat! — *Ein bißchen schwere Arbeit würde dir ganz guttun, wenn du den ganzen Tag hinter dem Schreibtisch sitzt, wirst du nur faul – und dick!*

W.: Connie! That's not fair! I'm not fat! — *Connie! Das ist nicht fair! Ich bin nicht dick!*

C.: Then why do you pretend to play golf? You're not very good at it.

Warum tust du dann so, als ob du Golf spielst? Das kannst du ja doch nicht so recht.

W.: Connie, now you've hurt my feelings!

Connie, jetzt hast du mich aber sehr verletzt!

C.: If you kept the garden neat and tidy, I wouldn't care about you going to play golf, but it's got to be done. Today.

Wenn du den Garten sauber und ordentlich hieltest, wäre es mir gleich, ob du Golf spielen gehst, aber mal muß es ja gemacht werden. Und zwar heute.

W.: You can be very cruel, Connie. It won't do me any good.

Du kannst sehr grausam sein, Connie. Es bekommt mir bestimmt nicht gut.

C.: Nonsense! It'll keep you fit and healthy!

Unsinn! Das erhält dich kräftig und gesund!

W.: In that case, why don't you help me? Why don't we do it together? It'd do you good, too!

Wenn das so ist, warum hilfst du mir dann nicht? Warum machen wir es nicht zusammen? Es würde dir auch guttun!

C.: Oh, but I've got to do the shopping.

Ach, aber ich muß doch einkaufen gehen.

W.: Why is it that women always have the best excuses?

Warum haben Frauen immer nur die besten Ausreden?

C.: Because they're more intelligent than men. That's why

Weil sie klüger als die Männer sind. Und deshalb sind Männer

134

men are only good enough *nur zum Gartenumgraben gut*
to dig gardens! Bye-bye, *genug! Wiedersehen, Walter!*
Walter!

Words and Phrases

just the kind of ... to	*so richtig ein ..., um*	several [ße'wr^el]	*mehrere, verschiedene*
out of doors	*draußen, im Freien*	plant [plänt]	*Pflanze*
drive [draiw]	*(Aus-, Spazier-) Fahrt*	dead [ded]	*tot, abgestorben*
picnic [pi'knik]	*Picknick*	cut back	*zurück-, beschneiden*
countryside [ka'ntrißaid]	*ländliche Gegend, Land(schaft)*	bonfire [bo'nfai^e]	*Freudenfeuer, Feuer im Garten (zum Unkraut-*
engineer [endɕini'^e]	*Ingenieur, Techniker*		*verbrennen)*
drawing [drō'ing]	*Zeichnung*	that will be fun	*das wird Spaß machen*
engineer's drawing	*technische Zeichnung*	gardening [gā'dning]	*Gartenarbeit*
grow [grou], grew [grū],	*wachsen*	lazy [lei'si]	*faul, träge*
grown [groun]		fat [fät]	*dick, korpulent*
natural [nä'tschr^el]	*natürlich*	fair [fä^e]	*fair, gerecht*
weed(s) [ωīd(s)]	*Unkraut*	pretend [pritc'nd]	*vorgeben, so tun als ob*
all over the place	*überall hier, ringsumher*	golf [golf]	*Golf (Rasenspiel)*
wilderness [ωi'ld^eniß]	*Wildnis*	hurt, hurt, hurt [hŏt]	*verletzen*
it's (not) as bad as that	*es ist (nicht) so schlimm*	feeling [fī'ling]	*Gefühl*
hedge [hedɕ]	*Hecke*	hurt someone's feelings	*j-n verletzen / beleidigen*
do [dū]	*(zurecht)machen, herrichten, in Ordnung bringen*	neat [nīt]	*sauber, ordentlich, hübsch*
		tidy [tai'di]	*sauber, ordentlich, nett*
lawn(s) [lōn(s)]	*Rasen(flächen)*	cruel [kru'^el]	*grausam*
admit [^edmi't]	*zugeben, einge- stehen*	nonsense [no'nß^enß]	*Unsinn*
a great deal [dīl] of	*eine Menge, sehr viel*	fit [fit]	*fit, in guter Form, in Schuß*
clear [kli^er] up	*Ordnung ma- chen, aufräumen*	healthy [he'lθi]	*gesund*
		intelligent [inte'lidɕ^ent]	*intelligent, klug*
		dig [dig], dug, dug [dag]	*graben, umgraben*

Explanations

Das Gerundium (I)

our little *meeting* (1) *unser kleines Zusammentreffen*
the *founding* of a firm (2) *die Gründung („das Gründen")*
  einer Firma

You are very good at *typing*. (3)   *Du bist sehr gut im Maschine-schreiben.*

Leave that *proof-reading*. (4)   *Laß das Korrekturlesen (sein).*

Die *ing-Formen* in den vorstehenden Ausdrücken entsprechen dem *als Substantiv gebrauchten* deutschen *Infinitiv* (das Zusammentreffen, das „Gründen" = die Gründung, das Maschineschreiben, das Korrekturlesen).

Daß es sich um *Substantive* handelt, geht auch daraus hervor, daß sie ein *Attribut* [(1) *little*, (2) *of a firm*], eine *Präposition* [(3) *at*] oder einen *Artikel* bzw. ein *Demonstrativpronomen* [(4) *that*] bei sich haben können.

Diese substantivische ing-Form nennt man *Gerundium* oder *Verbalsubstantiv.* Sie kann wie ein Substantiv verwendet werden:

Die *Formen des Gerundiums* sind *gleich denen des Partizips/Präsens.*

Das Verbalsubstantiv und das Gerundium

A garden that looks like an engi-   *Ein Garten, der wie eine techni-*
neer's *drawing*.   *sche Zeichnung aussieht.*

Peter is fond of *drawing*.   *Peter macht das Zeichnen Spaß.*

In beiden Sätzen erscheint das Wort *drawing*. Es ist von dem Verb *to draw* „zeichnen" abgeleitet und hat die gleiche Form wie das Partizip Präsens.

Im *ersten Satz* ist es ein *reines Substantiv*. Da es *vom Verb abgeleitet* ist, nennt man es *Verbalsubstantiv.* Es hat alle Eigenschaften eines Substantivs (Deklination, Pluralbildung). Solche Verbalsubstantive sind z. B.:

the building	*das Gebäude*	the training	*die Ausbildung*
the clothing	*die Kleidung*	the feeling	*das Gefühl*
the meeting	*das Treffen, die Begegnung*	the being	*das Wesen, das Sein*

Im *zweiten Satz* ist *drawing Gerundium*. Es ist teils *Substantiv*, weil es im Satz an -Stelle eines Substantivs gebraucht werden kann; teils *Verb*, weil es mit Präpositionen an Substantive, Adjektive und Verben angeschlossen werden kann. Es kann jedoch nicht dekliniert und in den Plural gesetzt werden.

25th Lesson

Zwei Stunden später. Connie ist vom Einkaufen zurückgekommen und ruft jetzt Walter, der im Garten arbeitet.

Connie: Walter! Walter, stop doing the garden and come in for a moment. Come indoors!

Walter, Walter! Hör' mit dem Garten auf und komm' mal einen Augenblick 'rein! Komm 'rein!

Walter: You mean I can finish now?

Du meinst, ich kann jetzt aufhören?

C.: That isn't what I said – but you do look rather tired.

Das habe ich nicht gesagt – aber du siehst wirklich ziemlich müde aus.

W.: I feel rather tired! I suppose you had a wonderful time, shopping.

Ich bin auch müde! Ich nehme an, dir hat das Einkaufen viel Spaß gemacht.

C.: Yes, I did. Have you done everything?

Ja. Hast du alles erledigt?

W.: Nearly everything?

Fast alles.

Er kommt ins Haus herein.

C.: I must admit it does look better – aren't you pleased?

Ich muß zugeben, es sieht wirklich besser aus – gefällt es dir nicht?

W.: Yes.

Ja.

C.: Well, I am. Thank you, Walter. – Oh – did you have the bonfire?

Also, mir gefällt's. Danke, Walter. – Ach, hast du schon das Feuer gemacht?

W.: No, I didn't have one.

Nein, ich habe keins gemacht.

C.: Oh, Walter, having a bonfire would finish it off – for the time being.

O, Walter, mit einem Feuer wäre erst alles richtig erledigt – vorläufig jedenfalls.

W.: Haven't I done enough? I thought you were pleased.

Hab' ich noch nicht genug getan? Ich dachte, es gefiele dir.

C.: Oh, I am, really, Walter. In fact, I felt very guilty – about making you work so hard.

Das tut es auch, Walter. Ich hatte wirklich ein ganz schlechtes Gewissen – weil ich dich so schwer habe arbeiten lassen.

W.: I told you that you were cruel. Thank you for your sympathy, anyway.

Ich hab' dir ja gesagt, du bist grausam. Aber jedenfalls vielen Dank für dein Mitgefühl.

C.: Well, I felt so guilty that I bought a little present for you – just to show there was no ill-feeling.

Ich habe so ein schlechtes Gewissen gehabt, daß ich dir ein kleines Geschenk gekauft habe – nur um dir zu zeigen, daß es nicht böse von mir gemeint war.

W.: A present? For me? What is it?

Ein Geschenk? Für mich? Was ist es?

C.: The men have just brought it – it's in the lounge.

Die Männer haben es eben gebracht – es ist im Wohnzimmer.

W.: What! The men have brought it? Is it so big it has to be brought by men?

Was! Die Männer haben es gebracht? Ist es denn so groß, daß es von Männern gebracht werden muß?

Er geht ins Wohnzimmer.

C.: Oh, I couldn't carry it home by myself! The shop delivered it for me. There it is – by the window.

O, ich konnte es nicht allein nach Hause tragen! Das Geschäft hat es mir geliefert. Dort ist es – am Fenster.

W.: Connie! How wonderful! An antique rocking-chair – just perfect for my study!

Connie! Wie wunderschön! Ein alter Schaukelstuhl – genau richtig für mein Arbeitszimmer!

C.: I thought you'd like to relax in it, after all your hard work in the garden.

Ich hab' mir gedacht, du würdest dich gern darin ausruhen, nach all deiner schweren Arbeit im Garten.

W.: That's really thoughtful – in fact, I'm glad I did work so hard, now I shall enjoy relaxing in the chair so much more!

Das ist aber wirklich sehr aufmerksam von dir – jetzt bin ich richtig froh, daß ich so schwer gearbeitet habe, da werde ich das Ausruhen im Schaukelstuhl um so mehr genießen.

C.: Why don't you try it now, while I make a cup of tea? I'd like to see you in it – go on.

Warum probierst du ihn nicht gleich aus, während ich eine Tasse Tee mache? Ich möchte dich gern mal darin sehen – los, mach schon!

W.: Yes – I will. I'm ready to fall into it and go to sleep.

Ja, das tue ich. Ich möchte mich gleich hineinfallen lassen und einschlafen.

Der Stuhl bricht unter seinem Gewicht zusammen.

Help! Connie! What happened?

Hilfe! Connie! Was ist passiert?

C.: Oh, Walter! You look so funny – sitting there in the wreckage! It just collapsed under you.

Ach, Walter! Du siehst so komisch aus – wie du da in den Trümmern sitzt! Er ist einfach unter dir zusammengebrochen.

W.: I don't think it's very funny.

Ich finde das gar nicht so komisch.

C.: You're right, I shouldn't be laughing. I bought it because it was cheap, and now I know why.

Du hast recht, ich sollte nicht lachen. Ich habe ihn gekauft, weil er so billig war, und jetzt weiß ich auch, warum.

W.: Ah, I see. Look, Connie, it's been eaten by a woodworm.

Ah, ich verstehe. Sieh mal hier, Connie, er ist vom Holzwurm zerfressen.

C.: It looked in such good condition. And now it's just a pile of broken wood.

Er sah so gut erhalten aus. Und nun ist es nur noch ein Haufen zerbrochenes Holz.

W.:	Worse than that – it's dangerous. The other furniture might be affected, if we leave it about. Only one thing can be done with it.		*Noch schlimmer – es ist gefährlich. Wenn wir ihn hierlassen, werden vielleicht auch noch die anderen Möbel davon befallen. Wir können nur eins damit tun.*
C.:	What's that?		*Was denn?*
W.:	Burn it.		*Ihn verbrennen.*
C.:	Oh.		*O.*
W.:	I'm sorry, Connie. It's the only way.		*Tut mir leid, Connie, das ist die einzige Möglichkeit.*
C.:	I suppose so. And, in a way, it's a good thing, too.		*Das denke ich auch. Und in gewisser Weise ist es ja auch gut so.*
W.:	Oh? How's that?		*Nanu? Wieso das?*
C.:	Now you've got to have a bonfire after all!		*Jetzt mußt du schließlich doch noch ein Feuer machen!*

Words and Phrases

indoors [i'ndō's]	*im / zu Hause; ins Haus*	relax [rilä'kß]	*sich ausruhen, sich erholen*
finish it off	*es endgültig erledigen*	thoughtful [θō'tful]	*umsichtig, aufmerksam*
for the time being	*vorläufig, fürs erste; unter den gegebenen Umständen*	funny [fa'ni]	*spaßig, komisch*
		wreckage [re'kidǪ]	*Wrackteile, (Unfall)Trümmer*
sympathy [ßi'mpᵉθi]	*Mitgefühl*	collapse [kᵉlä'pß]	*zusammenbrechen, -fallen*
anyway [e'niɷei]	*jedenfalls, trotzdem*	woodworm [ɷu'dɷōm]	*Holzwurm*
ill-feeling [i'lfi'ling]	*Bosheit, böse Absicht*	condition [kᵉndi'schᵉn]	*Zustand*
lounge [laundǪ]	*Wohnzimmer, Wohndiele*	pile [pail]	*Haufen*
deliver [dili'wᵉ]	*(aus)liefern*	dangerous [dei'ndǪᵉreß]	*gefährlich*
antique [äntī'k]	*alt, im alten Stil*	burn [bōn], burnt, burnt [bōnt]	*(ver)brennen*
rocking-chair [ro'kingtschäᵉ]	*Schaukelstuhl*	how's that?	*wieso das?*

Explanations

Das Gerundium (II)

Das Gerundium als Subjekt und Prädikatsnomen

Gardening is hard work. (1)	*Gartenarbeit ist harte Arbeit.*
Sitting behind a desk is *making* you lazy. (2)	*Das Sitzen hinter dem Schreibtisch macht dich faul.*

Coming here saved me from an embarrassment. (3)	*Hierherzukommen hat mich aus einer Verlegenheit gerettet.*
A great deal of *clearing up* has to be done. (4)	*Es muß eine Menge in Ordnung gebracht werden.*
Having a bonfire would finish it off. (5)	*Mit einem Feuer im Garten wäre erst alles richtig erledigt.*
It is no good *wasting* time on it. (6)	*Es nützt nichts, Zeit darauf zu verschwenden.*
Anybody would think it worth *stealing*. (7)	*Jeder wird es für lohnend halten, es zu stehlen.*

In den Sätzen 1–7 steht das Gerundium als Subjekt, in Satz 2 außerdem als Prädikatsnomen.

Das Gerundium steht *immer nach* den Ausdrücken:

there is no	*es läßt sich nicht*	it is no good	*es nützt nichts*
it is (not) worth	*es ist (nicht) wert, es lohnt sich (nicht)*	it is no use	*es nützt nichts*

Das Gerundium als direktes Objekt

They need *doing*. (8)	*Sie müssen in Ordnung gebracht werden.*
I've got to do the *shopping*. (9)	*Ich muß Einkäufe machen.*
Stop *doing* the garden. (10)	*Hör auf, den Garten in Ordnung zu bringen.*
We enjoy *having* you with us. (11)	*Wir freuen uns, dich bei uns zu haben.*
He hates *wasting* time. (12)	*Er kann es nicht ausstehen, Zeit zu verschwenden.*
Fathers aren't used to *suffering*. (13)	*Väter sind nicht gewöhnt zu leiden.*
Leave that *proof-reading*. (14)	*Laß das Korrekturlesen sein.*

In den Sätzen 8–14 steht das Gerundium als direktes Objekt. Nach bestimmten Verben muß als *direktes Objekt* ein *Gerundium* statt eines Infinitivs stehen:

to commence	*beginnen*	to have done with	*fertig sein mit*
to go on	*fortfahren*	to give up	*aufgeben*
to keep	*fortfahren*	to avoid	*vermeiden*
to delay	*verzögern*	to risk	*wagen*
to put off	*verschieben*	I do not mind	*ich habe nichts dagegen*
to stop	*aufhören*		
to finish	*aufhören, beenden*	I cannot help	*ich kann nicht umhin*

141

Das Gerundium im Wechsel mit dem Infinitiv

Remember *making* the coffee. to make (15)	*Denke daran, den Kaffee zu machen.*	
He began *digging* the garden. to dig (16)	*Er fing an, den Garten umzugraben.*	
He preferred *going* to the country. to go (17)	*Er zog es vor, aufs Land zu fahren.*	
You try *ordering* me about. to order (18)	*Du versuchst, mich herumzukommandieren.*	
We enjoy *having* you with us. to have (19)	*Wir freuen uns, dich bei uns zu haben.*	

In den Sätzen 15–19 kann wahlweise das *Gerundium oder* der *Infinitiv* verwendet werden. Das gleiche gilt nach den Verben:

to admit	*zugeben*	to intend	*beabsichtigen*
to attempt	*versuchen*	to like	*gern mögen / tun*
to begin	*beginnen*	to mind	*etw. dagegen haben*
to cease	*aufhören*	to love	*lieben, gern tun*
to continue	*fortfahren*	to prefer	*vorziehen*
to enjoy	*Freude haben an*	to regret	*bedauern*
to excuse	*(sich) entschuldigen*	to remember	*sich erinnern an, daran denken, daß*
to hate	*hassen, verabscheuen*	to start	*anfangen*

Das Gerundium als präpositionales Objekt

I apologize for *talking* to you in this way. (20)	*Ich entschuldige mich dafür, daß ich so mit dir gesprochen habe.*
I felt guilty about *making* you work so hard. (21)	*Ich habe ein schlechtes Gewissen, weil ich dich so schwer habe arbeiten lassen.*
The honour of *proposing* this toast. (22)	*Die Ehre, diesen Trinkspruch auszubringen.*

Das *Gerundium* muß als *Objekt* nach allen *Verben* (20), *Adjektiven* (21) und *Substantiven* (22) stehen, denen eine *Präposition* folgt.

Das Gerundium mit eigenem Subjekt

We are not used to *her (Jeanne) looking* after the baby. (23)	*Wir sind es nicht gewöhnt, daß jemand nach dem Baby sieht.*
I am *looking* forward to *your (Jeanne's) living* with us. (24)	*Ich freue mich darauf, daß Sie (Jeanne) bei uns wohnt.*

In dem Satz *I am looking forward to living with you* haben beide Handlungen *(look forward* und *live)* das gleiche Subjekt *(I)*.

142

In Satz 23 und 24 hat das Gerundium ein eigenes Subjekt [(23): *her* od. *Jeanne*, (24) *your* od. *Jeanne's*].

Das *Subjekt des Gerundiums* steht entweder im *Objektsfall* (Akkusativ) oder im *Genitiv* (bei Pronomen: *Possessivpronomen*).

Das Gerundium an Stelle eines deutschen Nebensatzes

He stole things by *climbing* into windows. (25) — *Er stahl, indem er in Fenster einstieg.*

By *leaving* it on the seat you were helping him. (26) — *Indem Sie es auf dem Sitz liegen ließen, haben Sie ihm geholfen.*

Is there any chance of *getting* it back? (27) — *Besteht irgendeine Aussicht, es wiederzubekommen?*

In Verbindung *mit* einer *Präposition* kann das *Gerundium* an Stelle eines *Nebensatzes* stehen.

Solche Präpositionen sind: *after, on, upon, in, by, on account of* („wegen"), *without, instead of* („anstatt"), *in spite of* („trotz").

26ᵗʰ Lesson

Walter und Connie haben gerade gefrühstückt.

Walter: Connie – I'm a little worried. I wonder if you'd do me a favour.

Connie, ich bin etwas besorgt. Ich möchte gern wissen, ob du mir einen Gefallen tun würdest.

Connie: What's worrying you?

Weswegen bist du besorgt?

W.: I've got some proofs here and they must be corrected by three o'clock.

Ich habe hier ein paar Korrekturfahnen, die müssen bis drei Uhr korrigiert werden.

C.: How can I help?

Wie kann ich dir helfen?

W.: I'll be able to finish the proofs if I work through the lunch hour. Will you make me some sandwiches?

Ich kann mit den Fahnen fertig werden, wenn ich über die Mittagszeit arbeite. Machst du mir ein paar belegte Brote?

C.: But, Walter, you know I like you to eat proper meals, sandwiches aren't enough.

Aber Walter, du weißt doch, ich möchte gern, daß du etwas Richtiges ißt, belegte Brote sind nicht genug.

W.: I promise I'll eat an enormous meal this evening – I'll only have had sandwiches for lunch.

Ich verspreche (dir) auch, heute abend eine Riesenmenge zu essen – zum Mittagessen habe ich dann ja nur belegte Brote gehabt.

C.: You really should have someone to help you with all that proof-reading. I could sometimes do it.

Du solltest wirklich jemanden haben, der dir bei all dem Korrekturlesen hilft. Manchmal könnte ich es doch auch tun.

W.: That's an idea. But not on this particular job, Connie. You see, I'm already part of the way through it. It's no use having half the book read by one person and half by another.

Das ist ein Gedanke. Aber nicht gerade bei dieser Arbeit, Connie. Ich bin nämlich schon zum Teil damit fertig. Es hat keinen Zweck, das halbe Buch von einem und die andere Hälfte von einem anderen lesen zu lassen.

C.: Well, all right, just today your lunch can be sandwiches. But in future, you must eat a proper lunch, and I'll help you when there is too much proof-reading to do.

Na gut, heute kannst du mal belegte Brote zum Mittagessen haben. Aber in Zukunft mußt du richtig zu Mittag essen, und ich helfe dir, wenn zuviele Korrekturen zu lesen sind.

W.: Thank you, Connie. Now, what are you going to put in my sandwiches?	*Danke dir, Connie. Und was tust du mir aufs Brot?*
C.: I don't know, yet. I think there is some tinned meat – the kind you like so much. Will that do, if I add other things as well?	*Ich weiß noch nicht. Ich glaube, es ist noch etwas Büchsenfleisch da – das, was du so gern magst. Genügt das, wenn ich dir auch noch was anderes dazu gebe?*
W.: I think that would be splendid. I'll finish getting ready to go to the office, while you make them.	*Ich finde, das wäre herrlich. Während du sie zurecht- machst, mache ich mich fürs Büro fertig.*
C.: All right. It won't take long. Gordon is still asleep, so I'll just have time.	*Gut. Es dauert nicht lange. Gordon schläft noch, da habe ich also noch Zeit.*

Worauf das Baby prompt zu schreien anfängt.

Oh dear, that's him. Now I'll have to get him ready and give him breakfast.	*O je, da ist er. Nun muß ich ihn erst fertigmachen und ihm Früh- stück geben.*
W.: But Connie, you said you'd just got time to make my sandwiches!	*Aber Connie, du hast doch ge- sagt, du hast Zeit, mir die be- legten Brote zu machen!*
C.: That was before Gordon woke up, Walter. You must make the sandwiches your- self, if you want them.	*Das war, ehe Gordon aufge- wacht ist, Walter. Du mußt dir die Brote selbst machen, wenn du sie brauchst.*
W.: But I haven't got time! I shall be late!	*Aber ich hab' doch keine Zeit! Ich komme noch zu spät!*

Das Au-pair-Mädchen kommt.

Jeanne: Madame, shall I bring the baby to you? Or would you like me to look after him this morning?	*Madame, soll ich Ihnen das Baby bringen? Oder möchten Sie lieber, daß ich mich heute morgen darum kümmere?*
C.: No, I'll do it, Jeanne, but there is something to be done.	*Nein, ich mach' das schon, Jeanne, aber da ist noch etwas zu tun.*
J.: Yes, madame?	*Ja, Madame?*
C.: Walter wants sandwiches for lunch – he's in a hurry, and I'm going to be busy with the baby. Will you	*Walter möchte belegte Brote zum Mittagessen haben – er hat es eilig, und ich habe mit dem Baby zu tun. Wollen Sie die be-*

make the sandwiches if I tell you what to use?	*legten Brote machen, wenn ich Ihnen sage, was Sie dazu nehmen sollen?*
J.: Of course, madame – I make very good sandwiches!	*Natürlich, Madame – ich mache sehr gute belegte Brote!*
W.: That's splendid. Now I can get ready.	*Das ist ja herrlich. Nun kann ich doch noch fertig werden.*
C.: Jeanne, use the tin of meat that's in the pantry.	*Jeanne, nehmen Sie die Büchse Fleisch, die in der Speisekammer steht.*
J.: But I thought we had finished that meat.	*Aber ich dachte, wir hätten das Fleisch aufgegessen.*
C.: No, there's still some left – not much, so perhaps you'll have to add a few other things to it. I'll leave it to you. Now I must go to Gordon.	*Nein, es ist noch etwas da – allerdings nicht viel, Sie müssen also noch einiges andere dazu nehmen. Ich überlasse das ganz Ihnen. Jetzt muß ich aber zu Gordon gehen.*
W.: Thank you, Jeanne. Didn't you say last week you'd (you had) been sent a French recipe for meat sandwiches?	*Danke Ihnen, Jeanne. Haben Sie nicht letzte Woche gesagt, daß man Ihnen ein französisches Rezept für Fleisch-Sandwiches geschickt hat?*
J.: Oh, they will be delicious – something really special. I promise you, you will enjoy them!	*O, sie werden köstlich sein – wirklich etwas ganz Besonderes. Ich verspreche Ihnen, die werden Ihnen gut schmecken!*

Words and Phrases

favour [fei′we]	*Gunst, Gefallen*	tin [tin]	*eindosen, (in Büchsen) konservieren; Dose, Büchse*
do a favour	*einen Gefallen erweisen*		
correct [ke re′kt]	*korrigieren*	meat [mīt]	*Fleisch*
sandwich [ßä′nɯidɢ]	*Sandwich, belegtes Brot*	tinned meat	*Büchsenfleisch, Fleischkonserve*
enormous [inō′meß]	*enorm, ungeheuer(lich), riesig*	will that do?	*wird das genügen? genügt das?*
particular [peti′kjule]	*besonder, einzeln, speziell*	as well	*auch (noch), außerdem*
part of the way	*zum Teil, teilweise*	it won't take long	*es dauert nicht lange*
it's no use [jūß]	*es hat keinen Zweck, es nützt nichts*	that's him	*da(s) ist er, er ist es*

use [jūs]	*gebrauchen, verwenden*	French [frentsch]	*französisch; Französisch*
pantry [pä′ntri]	*Speisekammer*	recipe [re′ßipi]	*Rezept*
finish [fi′nisch]	*aufbrauchen, -essen*	delicious [dili′sch^eß]	*köstlich*
there's still some left	*es ist noch etwas übrig / da*	I enjoy (a meal)	*ich lasse mir (eine Mahlzeit)*
leave it to a p.	*es j-m überlassen*		*schmecken, (eine Mahlzeit)*
send [ßend], sent, sent [ßent]	*senden, schicken*		*schmeckt mir gut*

Explanations

Zum Gebrauch der Präpositionen (IV)

> *during* z. während

Walter works hard *during* his office hours.

> *for* r. für (= weil)
> z. für (= lang), wäh- rend, seit
> ü. für, nach, um u. a.

From this window you can look *for* miles around. (meilenweit)
Walter works *for* ten hours.
They looked *for* a house.

> *of* r. von
> z. in, vor
> ü. aus, von, an

The city is north *of* the river.
Of late Walter comes home earlier. (neuerdings)
The house is made *of* wood.

> *off* r. von ... weg, her- unter, auf der Höhe von
> ü. außer

The book fell *off* the table.
The ships met *off* Dover.
They had a day *off* duty. (außer Dienst = dienstfrei)

> *along* r. entlang, längs

147

Mr. Reed went *along* the street.

along, past

past	r. an ... vorbei
	z. nach
	ü. über ... hinaus

He went *past* the bookshop.
It is half *past* nine.
The situation was *past* hope. (hoffnungslos)

* beside

beside	r. neben
	ü. außer

The bookshelf stood *beside* the window.
They were quite *beside* themselves with joy. (vor Freude)

besides	ü. außer, neben

Besides Walter and Connie there was Sally in the office.

but	ü. außer, ausgenom-
	men
except	ü. außer, ausgenom-
	men

All of them *but* Mr. Catchpole were in the office.
Nobody was in the office *except* Walter.

27th Lesson

In Walters Büro. Es ist ein Uhr mittags.

Walter: Mr. Catchpole – it's time for your lunch.

Mr. Catchpole, es ist Zeit zum Mittagessen.

Catchpole: Oh, I can manage, Mr. Jones. We haven't nearly finished yet. I'll stay.

O, ich kann mich schon einrichten, Mr. Jones. Wir sind noch längst nicht fertig. Ich bleibe hier.

W.: Well, I must admit, it would be a great help if you stayed – we'd get finished much quicker. I'll tell you what, you must share my sandwiches.

Ich muß allerdings gestehen, es wäre eine große Hilfe, wenn Sie blieben – wir würden viel schneller fertig werden. Ich werde Ihnen was sagen, Sie müssen mit von meinen belegten Broten essen.

Ca.: That's very kind of you – that is, if you can spare some?

Das ist sehr freundlich von Ihnen – das heißt, wenn Sie ein paar übrig haben?

W.: Of course I can – they were made by my 'au-pair' girl, Jeanne, and quite honestly, she has made me rather a lot.

Aber natürlich – Jeanne, mein Au-pair-Mädchen hat sie gemacht, und ganz ehrlich, sie hat mir eine ganze Menge gemacht.

Ca.: Thank you. Mmm – this sandwich is delicious! Very tasty.

Danke. Mmm – dieses Brot ist köstlich! Sehr schmackhaft!

W.: Jeanne says they'll have given us a taste of Continental food, and you're quite right, they're very tasty.

Jeanne sagt, sie werden uns einen Geschmack von dem, was man auf dem Kontinent ißt, vermitteln, und Sie haben ganz recht, sie schmecken sehr gut.

Ca.: I hadn't realised I liked foreign food until today!

Ich habe bis heute nicht gewußt, daß ich ausländisches Essen mögen würde!

W.: I shall tell her that. Do help yourself – before I eat them all up myself. I must really persuade Connie to let me have sandwiches.

Das werde ich ihr erzählen. Greifen Sie doch zu – ehe ich alle selber aufesse. Ich muß wirklich Connie überreden, mir belegte Brote mitzugeben.

6 Uhr abends. Walter kommt nach Hause.

W.: Hallo, Connie, you see, I'm home quite early through having lunch in the office. We finished all the work easily, after we'd eaten Jeanne's sandwiches.

Hallo, Connie, siehst du, ich komme viel früher nach Haus, weil ich im Büro gegessen habe. Wir sind leicht mit der ganzen Arbeit fertig geworden, nachdem wir Jeannes Sandwiches gegessen hatten.

Connie: Walter, are you all right? Do you feel quite well?

Walter, ist dir auch gut? Fühlst du dich ganz wohl?

W.: Yes, of course I do – but what's wrong?

Ja, natürlich – aber was ist denn los?

Jeanne: Oh, Mr. Jones, it is terrible!

Ach, Mr. Jones, es ist schrecklich!

W.: Jeanne, what's the matter? Connie, why is Jeanne crying? What's (what has) happened?

Jeanne, was ist los? Connie, warum weint denn Jeanne? Was ist passiert?

C.: The sandwiches – were they ... all right?

Die belegten Brote – waren sie ... in Ordnung?

150

W.: They were delicious! And I'll have sandwiches every day of the week if they're always as nice as those. May I?

Die waren köstlich! Und ich will jeden Tag in der Woche welche haben, wenn sie immer so gut sind wie diese. Darf ich?

C.: Jeanne, do you hear that? Walter says they enjoyed the sandwiches ... Shall we tell him?

Jeanne, hören Sie das? Walter sagt, ihnen haben die Sandwiches geschmeckt ... Sollen wir's ihm sagen?

J.: Oh, madame, is it wise?

O, Madame, ob das klug ist?

W.: What is the mystery?

Was ist das für ein Geheimnis?

J.: It was a mistake, but a terrible mistake! Please do not blame me for such an accident!

Es war ein Irrtum, aber ein schrecklicher Irrtum! Bitte, schimpfen Sie mich nicht wegen des Mißgeschicks aus!

W.: Connie, I haven't been poisoned, have I?

Connie, ich bin doch nicht vergiftet worden, oder?

C.: Not poisoned, Walter ... but Jeanne didn't realise the difference from the tin. By mistake, she used cat meat!

Nicht vergiftet, Walter ... aber Jeanne hat nicht den Unterschied zwischen den Büchsen bemerkt. Aus Versehen hat sie das Fleisch für die Katze genommen.

W.: Cat food! Oh! I – I think I feel unwell. In fact, I feel very unwell! Excuse me!

Katzenfutter! O! Ich – ich glaube, ich fühle mich doch nicht wohl. Wirklich, ich fühle mich ganz elend! Entschuldigt!

Er läuft hinaus.

C.: Oh, poor Walter.

O, armer Walter.

J.: I do not think he will have come to any harm from such an accident ... do you, madame?

Ich glaube nicht, daß es ihm etwas geschadet hat, dieses Versehen, was meinen Sie, Madame?

C.: No, Jeanne, he will be all right. But I don't think he'll ever ask to take sandwiches to work again!

Nein, Jeanne, es wird ihm wieder gut werden. Aber ich glaube, er wird nie wieder darum bitten, belegte Brote mit zur Arbeit zu nehmen!

Words and Phrases

manage [mä′nidℊ]	fertigwerden mit, es schaffen	help yourself	langen Sie doch zu!, bedienen Sie sich!
we haven't	wir sind noch		
nearly	längst nicht	eat up	aufessen
finished yet	fertig	persuade	überreden,
share [schä^e]	teilen, teilhaben\	[p^eßωei′d]	-zeugen
spare [ßpä^e]	erübrigen, [an] übrig haben	cry [krai]	weinen
		wise [ωais]	klug, weise
honest [o′nißt]	ehrlich, aufrichtig	mystery [mi′ßt^eri]	Geheimnis
rather a lot	eine ganze Menge	accident	Zufall, Un-
tasty [tei′ßti]	schmackhaft, wohlschmek- kend	[ä′kßid^ent]	(glücks)fall
		poison [poi′sn]	vergiften
		unwell	unwohl,
taste [teißt]	Geschmack	[a′nωe′l]	nicht wohl
continental	kontinental,	come to harm	zu Schaden kom-
[kontine′ntl]	festländisch		men, Schaden
foreign [fo′rin]	fremd, ausländisch		erleiden

Explanations

Übersicht über die Konjunktionen

Konjunktionen verbinden Wörter, Satzteile und Sätze miteinander. Man unterscheidet *beiordnende* und *unterordnende Konjunktionen*. *Beiordnende* Konjunktionen verbinden gleichartige Wörter, Satzteile und Sätze (Haupt- und Hauptsatz, Neben- und Nebensatz). *Unterordnende* Konjunktionen verbinden übergeordnete (Haupt-) Sätze mit untergeordneten (Neben)Sätzen.

Beiordnende Konjunktionen

anreihend

and	und		
as well as	sowohl ... als auch		
both...and	sowohl ... als auch		
not only...	nicht nur...		
but also	sondern auch		

entgegensetzend

but	aber
however	jedoch
nevertheless	dennoch, trotzdem
only	nur, aber
still	doch, dennoch
yet	doch, dennoch

auswählend

either...or	entweder...oder
neither...nor	weder...noch
nor	und (auch) nicht
or	oder

begründend

for	denn

folgernd

so	also, folglich, daher

152

Unterordnende Konjunktionen

zeitlich

after	*nachdem*
as	*als, während*
as long as	*solange*
as often as	*sooft*
as soon as	*sobald*
before	*ehe, bevor*
since	*seit*
till	*bis*
until	*bis*
when	*wenn, als*
whenever	*immer wenn*
while	*während*

begründend

as	*da, weil*
because	*weil*
since	*da*

den Zweck bezeichnend

so that	*so daß*
that	*damit*

bedingend

if	*wenn, falls*

in case	*falls*
unless	*falls nicht*

einräumend

(al)though	*obgleich, obwohl*

entgegensetzend

whereas	*wohingegen, während*
while	*während*

vergleichend

as . . . as	*so . . . wie*
as if	*als ob, wie wenn*
not as / so . . . as	*nicht so . . . wie*
than	*als*
the . . . the	*je . . . desto*

feststellend

that	*daß*

fragend

if	*ob*
whether	*ob*

28th Lesson

Es ist 10 Uhr morgens, und Connie ist dabei, aus dem Haus zu gehen, um Walter im Büro zu helfen, da seine Sekretärin krank ist.

Connie: Jeanne, I must leave for the office soon, Walter's all by himself. Is there anything you want to know before I go?

Jeanne, ich muß gleich ins Büro gehen, Walter ist ganz allein. Möchten Sie noch irgend etwas wissen, bevor ich gehe?

Jeanne: Must you go straight away?

Müssen Sie sofort gehen?

C.: I don't need to go immediately – why?

Ich brauche nicht sofort zu gehen – warum?

J.: I wanted to ask your advice, that's all. It's a very serious problem.

Ich wollte Sie um Rat fragen, das ist alles. Es ist ein sehr ernstes Problem.

C.: Then I must try to help! What is it?

Dann muß ich versuchen, Ihnen zu helfen. Was ist es denn?

J.: I have decided that I must have a bicycle – and I need your help to get one.

Ich habe entschieden, daß ich ein Fahrrad haben muß – und ich brauche Ihre Hilfe, um eins zu bekommen.

C.: Oh dear! I thought your problem was much more serious than that! I thought that perhaps you weren't happy here, for some reason!

Ach je! Ich habe gedacht, Ihr Problem wäre viel schwieriger als das! Ich habe schon geglaubt, Sie fühlten sich hier aus irgendeinem Grund vielleicht nicht glücklich!

J.: Oh, no! I'm very happy here! I need a bicycle. What is the best way of getting one?

O nein! Ich bin hier sehr glücklich! Ich brauche ein Fahrrad. Wie komme ich am besten dazu?

C.: Must it be a new one?

Muß es neu sein?

J.: No, it needn't be new. I don't want to pay too much for it.

Nein, es braucht nicht neu zu sein. Ich möchte nicht allzuviel dafür ausgeben.

C.: But it mustn't be too old. You need a good second-hand machine, I think. What do you need it for, especially?

Aber es darf auch nicht zu alt sein. Sie brauchen ein gutes gebrauchtes Rad, denke ich. Wozu brauchen Sie es speziell?

J.: Oh, for several reasons. First of all, I have some friends from my own country only a little distance away from here. A bicycle would be a very quick way of getting to them.

Ach, aus mehreren Gründen. Vor allem habe ich ein paar Freunde aus meiner Heimat gar nicht weit von hier entfernt. Mit einem Fahrrad könnte ich ganz schnell zu ihnen kommen.

C.: Is it quicker to use a bicycle than (to) go by bus?

Geht es denn mit dem Fahrrad schneller, als mit dem Bus zu fahren?

J.: They are not very near the bus stop, and I don't think I understand the London buses, yet. With a bicycle, I don't have to walk, or wait for buses. Yes, it is quicker.

Sie wohnen nicht sehr nahe an der Bushaltestelle, und ich glaube, ich verstehe mich noch nicht auf die Londoner Busse. Mit einem Fahrrad brauche ich nicht zu laufen oder auf Busse zu warten. Ja, das geht schneller.

C.: How else will it help you?

Was nützt es Ihnen sonst noch?

J.: When I go out shopping. If I have a basket on the front, I can carry the shopping, and get around much more quickly!

Wenn ich einkaufen gehe. Wenn ich vorn einen Korb habe, kann ich die Einkäufe da hineintun und viel schneller überall hinkommen.

C.: That's a good idea!

Das ist eine gute Idee!

J.: And also, riding a bicycle helps you to be fit and slim! I enjoy it – especially in fine weather.

Und Radfahren erhält einen auch gesund und schlank! Mir macht es Spaß – besonders bei schönem Wetter.

C.: If it keeps you slim, I think I must try it as well! Besides, it's wonderful always to have transport when it's needed.

Wenn es Sie schlank erhält, muß ich es, glaube ich, auch versuchen. Außerdem ist es herrlich, immer ein Transportmittel zu haben, wenn man es braucht.

J.: But how will I get a second-hand machine that is in good condition?

Aber wie komme ich zu einem gebrauchten Rad, das in gutem Zustand ist?

C.: Advertise in the evening paper, how else? You're bound to get several replies – you can select the best.

Geben Sie eine Anzeige in der Abendzeitung auf; wie sonst? Sie bekommen bestimmt mehrere Antworten, und Sie können die beste auswählen.

J.: Of course! Thank you!

Natürlich! Danke schön!

C.: When I come back from the

Wenn ich aus dem Büro zurück-

office, I'll help you (to) *komme, helfe ich Ihnen, die An-*
write out the advertisement. *zeige aufzusetzen. Nun muß ich*
Now I must hurry, or Wal- *mich aber beeilen, sonst wundert*
ter will wonder where I've *sich Walter, wo ich geblieben*
got to. We'll see you later, *bin. Wir sehen uns später,*
Jeanne, goodbye! *Jeanne, auf Wiedersehen!*

Words and Phrases

ask someone's advice	*j-n um Rat fragen*	a little distance (away) from here	*nicht weit von hier (entfernt)*
decide [dißai'd]	*sich entschließen, beschließen, (sich) entscheiden*	bus stop [ba'ß ßtop]	*Bushaltestelle*
bicycle [bai'ßikl]	*Fahrrad*	basket [bā'ßkit]	*Korb*
for some reason	*aus irgendeinem Grund*	get around	*herumkommen, überall hinkommen*
second-hand [ße'kᵉndhä'nd]	*aus zweiter Hand, gebraucht*	slim [ßlim]	*schlank*
		transport [trä'nßpōt]	*Transport(mittel)*
machine [mᵉschi'n]	*Maschine; hier: Rad*	you are bound to get	*Sie bekommen bestimmt*
first of all	*vor, allem, in erster Linie*	reply [riplai']	*Antwort, Erwiderung*
my own country	*meine Heimat*	select [ßile'kt]	*auswählen*
distance [di'ßtᵉnß]	*Entfernung*	write out	*aufschreiben, -setzen*

Explanations

Das Partizip (I)

	Aktiv	Passiv
Präsens	*asking* fragend	*being asked* gefragt werdend
Perfekt	*having asked* gefragt habend	*having been asked* gefragt worden seiend

Es gibt im Englischen, wie im Deutschen, zwei Partizipien: das *Partizip Präsens* und das *Partizip Perfekt*. Beide können *Aktiv* und *Passiv* bilden.

Wie das Gerundium eine Mittelstellung zwischen Verb und Substantiv einnimmt (vgl. 24th Lesson), so steht das *Partizip zwischen Verb und Adjektiv*. Wird es als *Adjektiv* gebraucht, so ist es im

Satz Attribut oder Teil des Prädikats (Prädikatsnomen). Wird es als *Verb* gebraucht, so kann es Objekte bei sich haben und steht an Stelle deutscher Nebensätze.

Das Partizip als Attribut

This is an *interesting* book. (1)	*Dies ist ein interessantes Buch.*
On the day *appointed* Walter met the agent. (2)	*An dem verabredeten Tag traf sich Walter mit dem Agenten.*
A man *reading* a newspaper. (3)	*Ein zeitunglesender Mann.*

Die beiden Partizipien können wie ein *Adjektiv* zur näheren Bestimmung eines Substantivs gebraucht werden (1–3).
Sie stehen meist *vor dem Substantiv* (1). Wenn sie *stärker betont* (2) oder *durch Zusätze erweitert* sind (3), stehen sie *dahinter*.

Das Partizip als Teil des Prädikats

Jeanne was *coming* home later than usual. (4)	*Jeanne kam später als gewöhnlich nach Hause.*
Walter and Mr. Catchpole sat *talking* in their office. (5)	*Walter und Mr. Catchpole saßen in ihrem Büro und unterhielten sich.*

Das *Partizip Präsens* steht als *Prädikatsnomen* in der *Verlaufsform* (4) und *nach den Verben der Ruhe und Bewegung to sit, to lie, to go, to come, to leave, to remain* (bleiben) (5).

Walter was *tired* by the day's work. (6)	*Walter war von des Tages Arbeit (er) müde(t).*
Mr. Catchpole looked rather *surprised*. (7)	*Mr. Catchpole sah recht erstaunt aus.*

Das *Partizip Perfekt* steht *im Passiv* (6) und *nach* einer Reihe von *intransitiven Verben* (7).

Partizip und Infinitiv bei den Verben der sinnlichen Wahrnehmung

They heard Jeanne *come* home. (8)	*Sie hörten, daß Jeanne nach Hause kam.*
They heard Jeanne *coming* home. (9)	*Sie hörten, wie Jeanne nach Hause kam.*

Nach den *Verben der sinnlichen Wahrnehmung* kann *statt des Infinitivs ohne "to"* (vgl. 7th Lesson) das *Partizip Präsens* stehen (9).

Der *Infinitiv* bezeichnet den Vorgang als bloße *Tatsache* („daß", 8), das *Partizip* bezeichnet den Vorgang in seinem *Ablauf* („wie", 9).

29th Lesson

Am selben Abend. Walter und Connie sind gerade vom Büro nach Hause gekommen.

Connie: Home at last! You know, Walter, I think you need a bicycle, as well as Jeanne. It would be much quicker in the rush-hour!

Endlich zu Hause! Weißt du, Walter, ich glaube, du brauchst auch ein Fahrrad, genau wie Jeanne. Zur Hauptverkehrszeit wäre es viel schneller.

Walter: It is certainly terrible driving a car, or even going by bus, it's so crowded!

Es ist sicher schrecklich, Auto zu fahren oder gar mit dem Bus, es ist alles so überfüllt.

C.: Jeanne must still be out shopping. When she comes back, after tea, you must help her to write an advertisement for the bicycle she wants.

Jeanne muß noch beim Einkaufen sein. Wenn sie zurückkommt, mußt du ihr nach dem Tee helfen, eine Anzeige wegen des Fahrrades, das sie haben möchte, zu schreiben.

W.: Oh, Connie, I'm tired.

Ach, Connie, ich bin so müde.

C.: I think I hear Jeanne coming in now.

Ich glaube, ich höre Jeanne eben hereinkommen.

Jeanne: Oh, you are home before me!

O, Sie sind vor mir zu Hause!

C.: We didn't expect to be – the traffic was so slow. Walter really needs a bicycle, too.

Das haben wir selber nicht erwartet – der Verkehr ging so langsam voran. Walter braucht wirklich auch ein Fahrrad.

J.: Then he can borrow mine! I will have it soon!

Dann kann er sich ja meins borgen! Bald habe ich eins!

C.: Soon? But we haven't worked out an advertisement yet, Jeanne.

Bald? Aber wir haben ja noch nicht einmal die Anzeige aufgesetzt, Jeanne.

J.: But I have! All by myself!

Aber ich! Ganz allein!

W.: Oh. That's very clever! Well done!

O, das ist aber sehr tüchtig! Gut gemacht!

J.: And I have given it to the newspaper, too. It must be put in today, the man said, to be printed tomorrow.

Und ich habe sie auch schon an die Zeitung gegeben. Sie muß heute aufgegeben werden, um morgen gedruckt zu werden, hat der Mann gesagt.

C.: Well, you have been busy!

Da sind Sie aber fleißig gewe-

158

You must be tired out!	sen! Sie müssen ja ganz erschöpft sein!
J.: Don't you want to read my advertisement? I would like your opinion.	Wollen Sie meine Anzeige nicht lesen? Ich würde gern Ihre Meinung hören.
C.: Come along, Walter, you're a publisher, read Jeanne's work, and tell her what you think of it.	Komm her, Walter, du bist Verleger, lies Jeannes Werk und sage ihr, was du davon hältst!
W.: "Wanted, a bicycle …"	„Fahrrad gesucht …"
C.: Walter, what are you laughing at?	Walter, worüber lachst du?
J.: What is funny about it, please?	Was ist daran so komisch, bitte?
W.: It's the way it's written! Oh dear!	Wie es geschrieben ist! O je!
J.: Have I done it badly?	Habe ich es schlecht gemacht?
W.: Let me read it to you – "Wanted, – a bicycle for a foreign girl coloured green, with a racing seat and basket at front." Well, Connie?	Ich will es euch vorlesen: „Fahrrad gesucht für ausländisches Mädchen von grüner Farbe, mit Rennsattel und vorn einem Korb!" Nun, Connie?
C.: Oh, Jeanne! Don't you see? It sounds so funny!	Ach, Jeanne, verstehen Sie nicht? Das klingt so komisch!
J.: Funny? But how?	Komisch? Aber wieso denn?
W.: You meant all those things – the colour, the seat, and the basket – to refer to the bicycle, but it sounds as if you are coloured green! Read it!	Sie wollten doch, daß sich alles – die Farbe, der Sattel und der Korb – auf das Fahrrad bezieht, aber es hört sich an, als seien Sie grün! Lesen Sie selbst!
J.: "… for a foreign girl coloured green …" Oh, I am not! But what shall I do about this?	„… für ein ausländisches Mädchen von grüner Farbe …" O, das bin ich nicht! Aber was soll ich jetzt tun?
C.: You must write it out again, properly.	Sie müssen es noch einmal richtig schreiben.
J.: Do I need to?	Muß ich das wirklich?
W.: Jeanne – you must! And then you must take it to the newspaper office, there's just time before they close.	Bestimmt, Jeanne. Und dann müssen Sie es zum Zeitungsbüro bringen, es ist gerade noch Zeit, ehe sie zumachen.
J.: Oh! Must I do that? It is a long walk!	Ach, muß ich das? Es ist so ein weiter Weg!

159

C.: Never mind, Jeanne, Walter will go with you, while I get tea.	*Das macht nichts, Jeanne, Walter geht mit Ihnen, während ich den Tee mache.*
W.: I don't need to, surely?	*Das brauche ich doch sicher nicht?*
C.: Walter, you must, it will make you slim and fit. Besides, people will be coming to our door, asking strange questions.	*Walter, das mußt du schon tun, das macht dich schlank und gesund. Außerdem kommen sonst Leute an die Tür und stellen merkwürdige Fragen.*
W.: Strange questions?	*Merkwürdige Fragen?*
C.: Well, what would you say if someone came asking for a green 'au-pair' girl – eh?	*Na, was würdest du sagen, wenn jemand käme und nach einem grünen Au-pair-Mädchen fragte, hm?*

Words and Phrases

rush-hour [ra'schaue]	*Hauptverkehrszeit*	tired out	*übermüdet, erschöpft*
go by bus	*mit dem Bus fahren*	wanted	*(in Anzeigen) gesucht*
crowded [krau'did]	*überfüllt*	coloured [ka'led]	*farbig, von ...er Farbe*
work out	*ausarbeiten; aufsetzen*	racing [rei'ßing]	*(Wett) Rennen*
put in	*einreichen; hier: (Anzeige) aufgeben*	seat [ßīt]	*Sitz; (Fahrrad-) Sattel*
		racing seat	*Rennsattel*
		besides [bißai'ds]	*außerdem*

Explanations

Das Partizip (II)

Das verbundene Partizip

Being the manager, Walter wanted to make some changes in the firm. (10)	*Da Walter Geschäftsführer war, wollte er einige Veränderungen in der Firma vornehmen.*
The manuscript, though *being* handwritten, was printed at last. (11)	*Das Manuskript wurde schließlich doch gedruckt, obwohl es mit der Hand geschrieben war.*
(When) *Having read* the manuscript, Connie wanted it to be printed. (12)	*Als Connie das Manuskript gelesen hatte, wollte sie, daß es gedruckt wird.*
The sandwiches, *having been made* by Jeanne, were delicious. (13)	*Die belegten Brote, die von Jeanne gemacht worden waren, waren köstlich.*

160

We are not used to anyone *looking* after the baby. (14) *Wir sind es nicht gewöhnt, daß jemand sich um das Baby kümmert.*

In diesen Sätzen (10–14) werden die *Partizipien als Verben* gebraucht. Sie stehen *für deutsche Nebensätze* und können *mit* (11, 12) *oder ohne Konjunktion* (10, 12, 13, 14) an den Hauptsatz angeschlossen werden. Nur die Konjunktionen *if* (falls), *unless* (falls nicht) und *though* (obwohl) dürfen nicht fortgelassen werden.

Partizip und Hauptsatz sind in diesen Sätzen durch einen *gemeinsamen Satzteil* (10: *Walter*, 11: *the manuscript*, 12: *Connie*, 13: *the sandwiches*, 14: *anyone*) verbunden; man spricht daher von einem „*verbundenen Partizip*",

The weather *being* fine, Walter wanted to go out for a walk. (15) *Da das Wetter schön war, wollte Walter einen Spaziergang machen.*

In diesem Satz haben *Hauptsatz und Partizip eigene Subjekte (Walter; the weather)*, sind also unverbunden. Dieses „unverbundene Partizip" kommt fast nur in der Schriftsprache vor.

30th Lesson

Morgens im Büro.

Walter: Good morning, Mr. Henderson! How nice to see you! I'm afraid we're in some confusion.

Guten Morgen, Mr. Henderson! Wie schön, Sie zu sehen. Wir sind leider noch etwas durcheinander.

Connie: We didn't expect you quite so early.

Wir haben Sie nicht ganz so früh erwartet.

Henderson: Oh, I didn't think you'd mind.

O, ich dachte, Sie hätten nichts dagegen.

W.: Of course we don't mind! I dare say you'd like a cup of tea, wouldn't you? Sally, could you . . . ?

Selbstverständlich haben wir nichts dagegen. Ich glaube, Sie hätten gern eine Tasse Tee? Sally, würden Sie . . .?

Sally: Certainly, Mr. Jones.

Gern, Mr. Jones.

Sie geht aus dem Zimmer.

Catchpole: Er . . . I have a great deal of work to do. I shall have to go, I'm afraid.

Äh . . . ich habe eine Menge zu tun. Ich muß leider gehen.

H.: You don't need to go just yet, I'm sure, Catchpole. Anyway, I need your presence here, in just a moment.

Sie brauchen sicher nicht gerade jetzt zu gehen, Catchpole. Ich brauche Sie jedenfalls hier gleich.

Ca.: Certainly, if you say so.

Gern, wenn Sie wünschen.

H.: Well, Walter, aren't you pleased?

Na, Walter, freuen Sie sich nicht?

W.: Pleased? Oh, of course I'm pleased. There have been one or two little mishaps, of course . . .

Mich freuen? O, natürlich freue ich mich. Es hat zwar ein paar kleine Pannen gegeben . . .

C.: Nothing terrible, though.

Aber nichts Schlimmes.

H.: Well, I must say, you take things very calmly. In the circumstances, you might make more fuss!

Na, ich muß schon sagen, Sie nehmen ja alles sehr ruhig hin. Unter den Umständen könnten Sie schon etwas mehr Aufhebens davon machen.

W.: Oh, but making a fuss wouldn't make us efficient, Mr. Henderson! Fuss only

O, wir wären nicht sehr tüchtig, wenn wir soviel Aufhebens machten, Mr. Henderson. Das kostet

	wastes time, and time is money, as they say.	nur Zeit, und Zeit ist Geld, wie man sagt.
H.:	I'm pleased to see you're so conscious of it, Walter.	Ich freue mich, daß Sie sich dessen so bewußt sind, Walter.

Die Sekretärin kommt zurück.

S.:	Here's your cup of tea, Mr. Henderson.	Hier ist Ihre Tasse Tee, Mr. Henderson.
H.:	But isn't anybody else having tea as well? I know time is precious – but this is an occasion when I think everyone ought to have a reviving drink! Don't you, Walter?	Trinkt denn nicht noch sonst jemand Tee? Ich weiß, die Zeit ist kostbar, aber dies ist doch ein Anlaß, wo jeder, denke ich, etwas Erfrischendes trinken sollte. Finden Sie nicht auch, Walter?
W.:	I beg your pardon?	Wie bitte?
H.:	Sally, my dear, please bring in cups of tea for everyone, including yourself.	Sally, meine Liebe, bitte bringen Sie doch für alle Tee, auch für Sie.
S.:	Yes, Mr. Henderson, immediately.	Ja, Mr. Henderson, sofort.

Sie geht aus dem Zimmer.

C.:	Mr. Henderson – you're being very mysterious. Why should we need a cup of tea?	Mr. Henderson, Sie tun so geheimnisvoll. Warum sollten wir alle Tee brauchen?
H.:	Haven't you seen your morning letters? The explanation is there!	Haben Sie denn noch nicht Ihre Morgenpost durchgesehen? Da ist die Erklärung.
C.:	I started to open them, but I hadn't finished, when you arrived.	Ich habe angefangen, sie aufzumachen, aber ich war noch nicht fertig, als Sie kamen.
H.:	Then if I were you, I'd find one particular letter. It will surprise you.	Da würde ich, wenn ich Sie wäre, einen ganz bestimmten Brief suchen. Der wird Sie überraschen.
W.:	Quickly, Connie, look through the rest of the letters!	Schnell, Connie, sieh die übrigen Briefe durch!

Sally kommt mit einem Tablett mit Teetassen herein.

S.:	Here's tea for everyone.	*Hier ist Tee für alle.*
C.:	This looks different from all the others. Oh! It is different. It's from the Publishers' Guild!	*Dieser sieht anders als alle andern aus. O! Er ist wirklich anders. Er ist vom Verlegerverband!*
W.:	The Publishers' Guild?	*Vom Verlegerverband?*
C.:	Oh, it's wonderful! The Alpha Publishing Company has won an award!	*O, das ist ja wundervoll! Der Alpha-Verlag hat eine Auszeichnung bekommen!*
Ca.:	Good gracious me, the first time in thirty years!	*Du meine Güte, das erste Mal in dreißig Jahren!*
C.:	For the best produced book by a new author! And – oh, Walter! It's my own author – Joe Reed!	*Für das beste Buch eines jungen Autors! Und – o, Walter! Es ist mein eigener Autor – Joe Reed!*
W.:	Connie! How wonderful! And it was all your doing – you chose him!	*Connie! Wie herrlich! Und du hast es ganz allein getan – du hast ihn ausgewählt!*
S.:	This is marvellous! May we drink a toast in tea?	*Das ist wunderbar! Wollen wir einen Trinkspruch mit Tee ausbringen?*
Ca.:	It isn't normally done, but this would appear to be a rather special occasion.	*Das tut man gewöhnlich nicht, aber dies scheint ein ganz besonderer Anlaß zu sein.*
S.:	Then I propose – Alpha Publishing! Even more success!	*Dann also – auf den Alpha-Verlag! Auf noch mehr Erfolg!*
H.:	And now, some good news. You'll all have an increase in salary, with the exception of one person, who won't need it.	*Und nun noch eine gute Nachricht. Sie bekommen alle eine Gehaltserhöhung, mit Ausnahme eines einzigen, der sie nicht brauchen wird.*
C.:	Oh? And who might that be?	*Ach? Und wer mag das sein?*
H.:	I'm not giving Walter a rise – because he is no longer Manager.	*Walter gebe ich keine Erhöhung – weil er nicht mehr Geschäftsführer ist.*
W.:	What? But, Mr. Henderson . . .	*Was? Aber Mr. Henderson, ...*
H.:	Walter – you are now a full partner in the firm!	*Walter – Sie sind jetzt gleichberechtigter Partner in der Firma!*

Words and Phrases

confusion [kᵉnfjū′Gᵉn]	*Konfusion, Durcheinander*	conscious [ko′nschᵉß] of sth.	*einer Sache bewußt*
be in confusion	*durcheinander sein*	precious [pre′schᵉß]	*kostbar, wertvoll*
I dare say	*ich glaube wohl*	revive [riwai′w]	*(wieder)beleben, erfrischen*
a great deal of	*eine Menge*	including [inklū′ding]	*einschließlich*
presence [prᵉ′ʒnß]	*Gegenwart, Anwesenheit*	mysterious [mißti′ᵉriᵉß]	*geheimnisvoll*
one or two	*ein paar*	explanation [ekßplᵉnei′-	*Erklärung,*
mishap [mi′ßhäp]	*Mißgeschick, Panne*	schᵉn]	*Erläuterung*
calm [kām]	*ruhig, ohne Aufregung*	the rest of	*der / die / das übrige, die*
circumstance [ßð′kᵉmßtᵉnß]	*Umstand*		*übrigen*
in the circum-stances	*unter diesen Umständen*		
fuss [faß]	*Aufregung, Aufhebens*	publishers' guild [gild]	*Verlegerverband*
make a fuss about sth.	*viel Aufhebens um etw. machen*	award [ᵉωō′d]	*Belohnung, Auszeichnung*

165

win an award	*eine Auszeichnung erhalten*	appear [ᵉpiᵉ]	*(er)scheinen*
		increase [in'krīß]	*Erhöhung*
good gracious [grei'scheß]	*ach du meine Güte*	salary [ßä'lᵉri]	*Gehalt*
choose [tschūs], chose [tschous], chosen [tschou'sn]	*(aus)wählen*	rise [rais]	*Erhöhung*
		partner [pā'tnᵉ]	*Partner, Teilhaber*
		full partner	*gleichberechtigter Teilhaber*
normal [no'mᵉl]	*normal, gewöhnlich*		

Test

A) *Bilden Sie Fragesätze.*

  Beispiel: Connie knows that Mr. Henderson is coming.
  Does Connie know that Mr. Henderson is coming?

  1. Mr. Henderson comes often.
  2. He tries to hide it from him.
  3. We want to see him.
  4. I have done something wrong.
  5. It must be something special.

B) *Verneinen Sie.*

  Beispiel: Connie knows that Mr. Henderson is coming.
  Connie does not know that Mr. Henderson is coming.

  1. He wants to see us.
  2. You have done something wrong.
  3. I always do something wrong.
  4. He thinks you are here.
  5. You must try to hide something.

C) *Setzen Sie, wenn nötig, das Stützwort* one *ein.*

  Beispiel: I'm losing my job. – You have another ...
  You have another one.

  1. He has a new job. So he can't go on working in his old ...
  2. I like small books and big ...
  3. We are looking for a house. At last we will find ...
  4. It is not Mr. Henderson's house, it is their own ...
  5. Of all the books this was the most interesting ...

D) *Setzen Sie die richtige Form von* look *oder* see *ein.*

  1. So you , , , , we are still ... for a house.
  2. You haven't ... them yet.
  3. Before you ... at the menu, ... at the papers.
  4. He wants to ... us.
  5. This house ... nice.

E) *Setzen Sie das Adverb an die richtige Stelle.*

  Beispiel: You help us so much. (always)
  You always help us so much.

  1. I feel sad. (really)
  2. I don't feel hungry. (really)
  3. Walter had gone to the office. (quickly, *betont*)

4. *(wie 3, unbetont)*
5. He got to the station. (last week, safely)

F) *Setzen Sie die richtige Form des Infinitivs ein.*

Beispiel: You want ... everything. (change)
   You want to change everything.

1. He is going ... indispensable to me. (be)
2. He can ... a very determined man. (be)
3. Do you want ... really? (resign)
4. Let me ... it clear. (make)
5. I don't want ... him angry. (make)

G) *Setzen Sie die richtige Form des Reflexivpronomens ein.*

1. Furniture does not move ...
2. Walter, you can do it by ...
3. He does not want to strain ...
4. She won't forgive ...
5. Walter and Connie did it quite by ...

H) *Verbinden Sie die beiden Sätze, indem Sie den Akkusativ mit dem Infinitiv verwenden.*

Beispiel: We saw Walter.
   Walter went to the office.
   We saw Walter go to the office.

1. She felt her heart. Her heart beat.
2. We ask Sally. Sally arranges it.
3. Do you like him? He comes to us.
4. Mr. Catchpole expected him. He learns.
5. I want him. He helps me.

I) *Präteritum oder Perfekt?*

Beispiel: I ... to London yesterday. (go)
   I went to London yesterday.

1. Last year he ... from England. (return)
2. It's a long time since I ... him. (see)
3. He ... for it so long – and now! (hope)
4. Do you like this book? – I ... it yet. (not read)
5. I ... a book and now I want you to read it. (write)

K) *Bilden Sie jeweils einen Satz.*

Beispiel: Walter likes books. (play golf)
   Walter likes books on how to play golf.

1. They did not know. (find a house)
2. Walter did not know. (What should he do?)
3. She told him. (arrange the furniture)
4. Connie did not know. (What should she read?)
5. They asked themselves. (get books)

L) *Bilden Sie „nicht wahr?"-Fragen zu folgenden Sätzen.*

   Beispiel: He cannot read.
   He cannot read, can he?

1. He was here.
2. She won't come.
3. I'll do what I can.
4. We came home early.
5. They did not see us.

M) *Setzen Sie die richtige Zeitform ein, um ein Nacheinander der Handlungen auszudrücken.*

   Beispiel: He (wait) a long time, before he went out.
   He had waited a long time, before he went out.

1. Walter (go out) before Connie came home.
2. After I (see) him I hurried back.
3. I had picked up the telephone when you (walk in).
4. They thought I (take) it.
5. They came because we (ask) them.

N) *Bilden Sie Bedingungssätze.*

   Beispiel: They can put it in a frame. (want to)
   They can put it in a frame if they want to.

1. They'll lose even more. (not find a solution)
2. They could have written a letter. (have more time)
3. It wouldn't have happened. (Walter, take care)
4. It wouldn't take long. (we, be quick)
5. They can reach the train. (hurry)

O) *Übertragen Sie in die indirekte Rede.*

   Beispiel: "I just went out." (She said)
   She said she had just went out.

1. "I haven't thought about it." (He says)
2. "That's a good idea!" (He said)
3. "I'll leave it to Walter." (She said)
4. "They will enjoy it." (He says)
5. "I am home quite early." (You said)

P) *Setzen Sie die richtige Präposition ein.*

Beispiel: They must be corrected ... three o'clock. (by, on, to)
They must be corrected by three o'clock.

1. He only had sandwiches ... lunch. (by, for, on)
2. Would you like me to look ... the baby? (after, over, through)
3. I'm busy ... proof-reading. (by, from, with)
4. Do not blame me ... this mistake. (at, for, with)
5. He does not want to go ... bus. (by, on, with)

Q) *Verbinden Sie die beiden Sätze durch ein Partizip.*

Beispiel: The sandwiches were delicious. They had been made by Jeanne.
The sandwiches (having been) made by Jeanne were delicious.

1. People will come. They ask strange questions.
2. I think I hear Jeanne. Jeanne is coming home.
3. There are one or two weeds. They grow here.
4. He had done his work. He went home.
5. Mr. Reed had written a book. He wanted it to be printed.

Lösungen zum Test

A) 1. Does Mr. Henderson come often? – 2. Does he try to hide it from him? – 3. Do we want to see him? – 4. Have I done anything wrong? – 5. Must it be anything special?

B) 1. He does not want to see us. – 2. You have not done anything wrong. – 3. I never do anything wrong. – 4. He does not think you are here. / He thinks you are not here. – 5. You must not try to hide anything.

C) 1. So he can't go on working in his old one. – 2. I like small books and big ones. – 3. At last we will find one. – 4. It is not Mr. Henderson's house, it is their own. – 5. Of all the books this was the most interesting.

D) 1. So you see, we are still looking for a house. – 2. You haven't seen them yet. – 3. Before you look at the menu, look at the papers. – 4. He wants to see us. – 5. This house looks nice.

E) 1. I really feel sad. – 2. I don't really feel hungry. – 3. Walter had gone to the office quickly. – 4. Walter had quickly gone to the office. – 5. He safely got to the station last week.

F) 1. He is going to be indispensable to me. – 2. He can be a very determined man. – 3. Do you want to resign really? – 4. Let me make it clear. – 5. I don't want to make him angry.

G) 1. Furniture does not move itself. – 2. Walter, you can do it by yourself. – 3. He does not want to strain himself. – 4. She won't forgive herself. – 5. Walter and Connie did it quite by themselves.

H) 1. She felt her heart beat. – 2. We ask Sally to arrange it. – 3. Do you like him to come to us? – 4. Mr. Catchpole expected him to learn. – 5. I want him to help me.

I) 1. Last year he returned from England. – 2. It's a long time since I saw him. – 3. He has hoped for it so long – and now! – 4. I have not read it yet. – 5. I have written a book and now I want you to read it.

K) 1. They did not know how to find a house. – 2. Walter did not know what to do. – 3. She told him how to arrange the furniture. – 4. Connie did not know what to read. – 5. They asked themselves how to get books.

L) 1. He was here, wasn't he? – 2. She won't come, will she? – 3. I'll do what I can, won't I? – 4. We came home early, didn't we? – 5. They did not see us, did they?

M) 1. Walter had gone out before Connie came home. – 2. After I had seen him I hurried back. – 3. I had picked up the telephone when you walked in. – 4. They thought I had taken it. – 5. They came because we had asked them.

N) 1. They'll lose even more if they don't find / unless they find a solution. – 2. They could have written a letter if they had had more time. – 3. It wouldn't have happened if Walter had taken care. – 4. It wouldn't take long if we were quick. – 5. They can reach the train if they hurry.

O) 1. He says he hasn't thought about it. – 2. He said that was a good idea. – 3. She said she'd (would) leave it to Walter. – 4. He says they will enjoy it. – 5. You said you were home quite early.

P) 1. He only had sandwiches for lunch. – 2. Would you like me to look after the baby? – 3. I'm busy with proof-reading. – 4. Do not blame me for this mistake. – 5. He does not want to go by bus.

Q) 1. People will come asking strange questions. / People asking strange questions will come. – 2. I think I hear Jeanne coming home. – 3. There are one or two weeds growing here. – 4. Having done his work he went home. – 5. Having written a book Mr. Reed wanted it to be printed.

Die wichtigsten unregelmäßigen Verben

(* = die Verbform kann auch regelmäßig mit -ed gebildet werden.)

Infinitiv	*Präteritum*	*Part. Perf.*	
awake [ei]	awoke [ou]	awoke*	*erwachen*
be [ī]	was [o] / were [ə̄]	been [ī]	*sein*
bear [äᵉ]	bore [ō]	borne [ō]	*(er)tragen*
		born [ō]	*geboren*
beat [ī]	beat	beaten [ī]	*schlagen*
become [a]	became [ei]	become [a]	*werden*
begin [i]	began [ä]	begun [a]	*beginnen*
bend [e]	bent [e]	bent	*beugen, biegen*
bet [e]	bet	bet	*wetten*
bid [i]	bade [ei, ä]	bidden [i]	*gebieten*
bind [ai]	bound [au]	bound	*binden*
bite [ai]	bit [i]	bit(ten) [i]	*beißen*
bleed [ī]	bled [c]	bled	*bluten*
blow [ou]	blew [ū]	blown [ou]	*blasen*
break [ei]	broke [ou]	broken [ou]	*brechen*
bring [i]	brought [ō]	brought	*bringen*
build [i]	built [i]	built	*bauen*
burn [ə̄]	burnt [ə̄]	burnt	*(ver)brennen*
burst [ə̄]	burst	burst	*platzen; (zer-) platzen lassen*
buy [ai]	bought [ō]	bought	*kaufen*
cast [ā]	cast	cast	*werfen*
catch [ä]	caught [ō]	caught	*fangen*
choose [ū]	chose [ou]	chosen [ou]	*wählen*
come [a]	came [ei]	come [a]	*kommen*
cost [o]	cost	cost	*(Geld) kosten*
creep [ī]	crept [e]	crept	*kriechen*
cut [a]	cut	cut	*schneiden*
deal [ī]	dealt [e]	dealt	*handeln*
dig [i]	dug [a]	dug	*graben*
do [ū]	did [i]	done [a]	*tun*
draw [ō]	drew [ū]	drawn [ō]	*ziehen, zeichnen*
dream [ī]	dreamt* [e]	dreamt*	*träumen*
drink [i]	drank [ä]	drunk [a]	*trinken*
drive [ai]	drove [ou]	driven [i]	*treiben, fahren*
dwell [e]	dwelt [e]	dwelt	*wohnen*

eat [ī]	ate [e, ei]	eaten [ī]	*essen*
fall [ō]	fell [e]	fallen [ō]	*fallen*
feed [ī]	fed [e]	fed	*füttern*
feel [ī]	felt [e]	felt	*(sich) fühlen*
fight [ai]	fought [ō]	fought	*kämpfen*
find [ai]	found [au]	found	*finden*
flee [ī]	fled [e]	fled	*fliehen*
fly [ai]	flew [ū]	flown [ou]	*fliegen; fliehen*
forbid [i]	forbade [ei, ä]	forbidden [i]	*verbieten*
forget [e]	forgot [o]	forgotten [o]	*vergessen*
forgive [i]	forgave [ei]	forgiven [i]	*vergeben*
freeze [ī]	froze [ou]	frozen [ou]	*(ge)frieren*
get [e]	got [o]	got	*bekommen*
give [i]	gave [ei]	given [i]	*geben*
go [ou]	went [e]	gone [o]	*gehen*
grow [ou]	grew [ū]	grown [ou]	*wachsen; werden*
hang [ä]	hung [a]	hung	*(auf)hängen*
have [ä]	had [ä]	had	*haben*
hear [ī]	heard [ō̈]	heard	*hören*
hide [ai]	hid [i]	hidden [i]	*(sich) verbergen*
hit [i]	hit	hit	*schlagen; treffen*
hold [ou]	held [e]	held	*halten*
hurt [ō̈]	hurt	hurt	*(sich) verletzen*
keep [ī]	kept [e]	kept	*(be)halten*
know [ou]	knew [jū]	known [ou]	*wissen; kennen*
lay [ei]	laid [ei]	laid	*legen*
lead [ī]	led [e]	led	*leiten, führen*
lean [ī]	leant* [e]	leant*	*(sich) lehnen*
learn [ō̈]	learnt* [ō̈]	learnt*	*lernen*
leave [ī]	left [e]	left	*(ver)lassen*
lend [e]	lent [e]	lent	*leihen*
let [e]	let	let	*(zu)lassen*
lie [ai]	lay [ei]	lain [ei]	*liegen*
light [ai]	lit* [i]	lit*	*anzünden; er-leuchten*
lose [ū]	lost [o]	lost	*verlieren*
make [ei]	made [ei]	made	*machen*
mean [ī]	meant [e]	meant	*meinen, bedeuten*
meet [ī]	met [e]	met	*treffen, begegnen*
pay [ei]	paid [ei]	paid	*bezahlen*
put [u]	put	put	*setzen, stellen, legen*
read [ī]	read [e]	read	*lesen*

174

ride [ai]	rode [ou]	ridden [i]	*reiten, fahren*
ring [i]	rang [ä]	rung [a]	*läuten*
rise [ai]	rose [ou]	risen [i]	*sich erheben*
run [a]	ran [ä]	run [a]	*laufen, rennen*
say [ei]	said [e]	said	*sagen*
see [ī]	saw [ō]	seen [ī]	*sehen*
seek [ī]	sought [ō]	sought	*suchen*
sell [e]	sold [ou]	sold	*verkaufen*
send [e]	sent [e]	sent	*senden, schicken*
set [e]	set	set	*setzen, stellen*
shake [ei]	shook [u]	shaken [ei]	*schütteln*
shed [e]	shed	shed	*verschütten*
shine [ai]	shone [o]	shone	*scheinen, glänzen*
shoot [ū]	shot [o]	shot	*schießen*
show [ou]	showed [ou]	shown [ou]	*zeigen*
shut [a]	shut	shut	*schließen*
sing [i]	sang [ä]	sung [a]	*singen*
sink [i]	sank [ä]	sunk [a]	*sinken*
sit [i]	sat [ä]	sat	*sitzen*
sleep [ī]	slept [e]	slept	*schlafen*
smell [e]	smelt [e]	smelt	*riechen*
speak [ī]	spoke [ou]	spoken [ou]	*sprechen*
spell [e]	spelt* [e]	spelt*	*buchstabieren*
spend [e]	spent [e]	spent	*ausgeben; ver- bringen*
split [i]	split	split	*spalten*
spoil [oi]	spoilt* [oi]	spoilt*	*verderben*
spread [e]	spread	spread	*(sich) ausbreiten*
spring [i]	sprang [ä]	sprung [a]	*springen*
stand [ä]	stood [u]	stood	*stehen*
steal [ī]	stole [ou]	stolen [ou]	*stehlen*
stick [i]	stuck [a]	stuck	*(an)kleben*
sting [i]	stung [a]	stung	*stechen*
strike [ai]	struck [a]	struck	*stoßen, schlagen*
swear [äᵉ]	swore [ō]	sworn [ō]	*schwören; fluchen*
sweep [ī]	swept [e]	swept	*fegen*
swim [i]	swam [ä]	swum [a]	*schwimmen*
take [ei]	took [u]	taken [ei]	*nehmen*
teach [ī]	taught [ō]	taught	*lehren*
tear [äᵉ]	tore [ō]	torn [ō]	*zerreißen*
tell [e]	told [ou]	told	*erzählen*
think [i]	thought [ō]	thought	*denken*
throw [ou]	threw [ū]	thrown [ou]	*werfen*

understand [ä]	understood [u]	understood	*verstehen*
wake [ei]	woke* [ou]	woke(n)* [ou]	*(auf) wecken, -wachen*
wear [äᵉ]	wore [ō]	worn [ō]	*(an sich) tragen, abtragen*
weep [ī]	wept [e]	wept	*weinen*
win [i]	won [a]	won	*gewinnen*
wind [ai]	wound [au]	wound	*(sich) winden*
write [ai]	wrote [ou]	written [i]	*schreiben*